CW00349676

CERDDI'R TROAD

Golygydd

Dafydd Rowlands

GOMER

Argraffiad cyntaf—2000

ISBN 1 85902 817 9

Dymuna'r cyhoeddwyr gydnabod cymorth Adrannau Cyngor Llyfrau Cymru.

Cyhoeddir y gyfrol hon gyda chymorth Cyngor Celfyddydau Cymru.

Argraffwyd yng Nghymru gan
Wasg Gomer, Llandysul, Ceredigion

RHAGAIR

Fe'm magwyd innau ar arlwy delynegol *Y Flodeugerdd Gymraeg*. 'Dyw hynny ddim yn annisgwyl efallai o gofio i mi gael fy ngeni yn y flwyddyn y cyhoeddwyd y flodeugerdd honno dan olygyddiaeth W. J. Gruffydd. Fe roddodd y golygydd hwnnw deitl i'w ragymadrodd, sef "Gwneuthur Blodeugerdd". Gallech feddwl, o ddarllen pennawd felly, mai cynnig yr oedd – ar sail ei brofiad ei hun – ganllawiau i antholegyddion y dyfodol, ac yr oedd, ar ryw olwg, yn gwneud hynny. Ond mewn gwirionedd fe wnaeth lawer mwy, sef "dywedyd rhywbeth buddiol hefyd am y delyneg Gymraeg".

Hyd y gwn i, fe gafodd pob antholeg a wnaed ar hyd y blynyddoedd ragymadrodd. Ac yr oedd i bob rhagymadrodd – eto, hyd y gwn i – ei werth fel darn o feirniadaeth lenyddol, neu fel mynegiant o safbwynt golygyddol, neu fel *apologia* i geisio cyfiawnhau mympwy'r antholegydd.

Nid oes i'r flodeugerdd hon ragymadrodd felly. Rhagair yn unig sydd yma. Ran amla', mae deunydd antholeg eisoes yn bod mewn amryfal gasgliadau o farddoniaeth, a gwaith y golygydd yw dethol. Derbyn neu wrthod yn ôl ei weledigaeth (neu ei ragfarn) a llunio detholiad sy'n adlewyrchu tueddiadau awenyddol o fewn fframwaith amseryddol, daearyddol, crefyddol, gwleidyddol, neu unrhyw -yddol arall. Ond gwahanol yw'r gyfrol hon. Fel yn achos chwaer-gyfrol y casgliad hwn, *Storïau'r Troad*, y bwriad oedd bwrw'r rhwyd; fy ngorchwyl i oedd gwahodd beirdd yn hytrach na dewis cerddi. Fe olygai hynny fod y beirdd yn dal ar dir y byw, ac fe'u gwahoddwyd i gyfrannu un gerdd i gyfrol o farddoniaeth a oedd yn cynrychioli nid cynnyrch cyfnod o amser yn gymaint â chynnyrch un pwynt mewn amser, sef troad y mileniwm. Yr unig amod a osodwyd ar y beirdd oedd nad oedd y gerdd a gyfrannent wedi ymddangos mewn llyfr; fe allai fod wedi ymddangos eisoes mewn papur neu gyfnodolyn. Ac mae hynny'n wir am rai o'r cerddi a gynhwyswyd ond, ar y cyfan, mae'r cerddi yn rhai newydd a luniwyd yn arbennig ar gyfer y gyfrol hon. Ni ofynnwyd ychwaith am gerddi ar thema neu bwnc neilltuol, ond roedd hi'n anodd osgoi yr eiliad honno a oedd yn droad blwyddyn, canrif, a mileniwm.

Fe wêl y sawl sy'n gyfarwydd â'r sîn farddol yng Nghymru ambell fwlch amlwg yn rhestr y beirdd. Nid ar y golygydd y mae'r bai am y diffyg hwnnw. Fe anfonwyd yn agos i gant o wahoddiadau i feirdd ymhell ac agos, yn wryw a benyw, swyddogol ac answyddogol, caeth a rhydd, Barbariad a Scythiad! Ond fel sy'n gyffredin ym myd gwahoddiadau, 'dyw pawb ddim yn ateb, ac ambell waith mae amgylchiadau yn rhwystro'r gwahoddedig rhag dod i'r ŵyl. Boed hynny fel y bo, dyma gynnyrch y sawl a ymatebodd yn gadarnhaol. Dyma farddoniaeth Gymraeg troad y mileniwm.

Dafydd Rowlands
Gelli Nudd, Pontardawe.
Mawrth 2000

DIOLCHIADAU

Carwn ddiolch i olygyddion y cylchgronau yr ymddangosodd rhai o'r cerddi ynddynt am ganiatâd i'w cynnwys yn y gyfrol hon.

Diolch hefyd i Bethan Matthews, Gwasg Gomer, am ei chymorth a'i hir amynedd, ac i'r Wasg am y gwaith cymen arferol.

Diolch yn arbennig i'r beirdd am eu cyfraniad.

CYNNWYS

CYNNWYS

W.R.P. GEORGE (1912)

MEINI WRTH Y NERAIG

Pa beth yw dyn?

Wrth i mi ei holi
atebodd y dibyn
ar ddiwedd y mileniwm hwn
ei fod yr un oed,
o fewn mileniwm neu ddau,
â gwynt y môr
sy'n awr yn grychau
ar wyneb y dyfnder.

Pa bryd, ynte, y chwydaist ti
o'th grombil glai
y meini a guddiaist
ers cyn co'
a'u gadael i ddisgyn
yn dalpiau du o dragwyddoldeb
trwm ar wyneb y traeth?

Yn awr, fin nos,
rhwng hwyr yr haf a'r hydref
'rwy'n gweled ymwelwyr Medi
â'u cregyn, crancod gwinglyd
o'r pyllau mewn blychau plastig,
yn ymwáu fel y rhithiau,
cyn diflannu, rhwng y meini hyn.

Dringodd plantos drostynt,
ar waetha cri drwy'r gwyll huddygliw
rhieni'n eu galw tua'r ceir
cyn clwydo, –
plant y teganau deinosor,
plant y mileniwm newydd,

plant llawn miri'n amharod
i gilio o greigiau oedd rhy galed
i'r sarrug ddeinosoriaid
yn eu hwyrnos adael arnynt
sêl eu crafangau.

GERAINT BOWEN (1915)

SANTEG, BRO LEON, LLYDAW

Lledrithiol ei phell draethau, – a thawel
    Ei theios a'i llwybrau;
  Chwery'r eigion â'i chreigiau
  'R hyd y dydd lle rhodia dau.

ELUNED PHILLIPS (1916)

Y LLYGODEN

Yn fy henaint daeth achlysur a'm gwnaeth
yn bennaf pechadur.
I'r tŷ daeth cyfrifiadur,
â'i lygoden i greu cur.

'Rwy'n hoffi casáu llygod, ac 'roedd hon
yn llygoden hynod.
Ond mae pawb o'm cydnabod
yn taeru mai fi sy'n od.

Pan fydd popeth yn ddiddig, un mistêc
a wna hon yn lloerig.
Ei lle, heb unrhyw ddal dig,
yw'r Adran Seiciatrig.

Iaith y Nef yw fy iaith i, ond mae hon
ymhell dros ben llestri.
O.K. O.K. ei hiaith hi –
a'm hiaith i nawr yw rhegi.

Llyncais ddwsin o dabledi er mwyn
i'm nerfau gael dofi;
o'r diwedd gwaeddais arni –
"Ysgariad, neu dy ladd di!"

Ond daeth y pum-mlwydd heibio i achub
y llygoden wallgo'.
Bu'r bysedd bach yn dawnsio,
a daeth hedd yn ôl dros dro.

Mewn oes fileniwm eto, ai llygod
fydd yma i'n llorio,
neu fwystfil o'r U.F.O.
a ddaw i'n gyrru'n wallgo ?

W. J. GRUFFYDD (1916)

RHAGFYR 31 1999

Yn Nhwll-y-Wahadden tair erw a hanner
Sy'n cynnal Ianto, a'r fuwch, a'r anner.

Yng nghyn-lifrai'r Hôm Gârd mae'n dod yn ei grwmach
Wrth gario dwy stên a'i ddwylo yn grapach.

O'r ffynnon i'r eil ar ei siwrne ddigyfrif
Ar nawnddydd olaf yr ugeinfed ganrif.

Ar ôl nodi ffeithiau yn ei ddyddiadur
Mae'n pori'n hir yn y Gwyddoniadur.

Un od yw Ianto, â'i ryfygus esboniad
Am y Geni, a'r gwyrthiau, a'r Atgyfodiad.

Heno ni fydd y penci gwargaled
Yn sbloet y Mileniwm ymhlith y gymuned.

Ger Twll-y-Wahadden bydd yn syllu drwy'r gorberth
Ar y blaenoriaid o gwmpas y goelcerth.

Bydd ei chwerthin yn ysgwyd ei gorpws bolgar
Wrth daeru eu bod yn dathlu'n rhy gynnar.

Yn y flwyddyn dwy fil ac un, yn ôl rheswm,
Y dylid croesawu'r trydydd mileniwm.

Daeth i wybod hyn am fod copi anniben
O'r Gwyddoniadur yn Nhwll-y-Wahadden.

Yfory ar dyddyn tair erw a hanner
Bydd Ianto'n hysbysu y fuwch a'r anner.

DAFYDD OWEN (1919)

HIRAETH

(Er cof am J.O.S.)

Henllan, Llannefydd, Nantglyn, a Rhiw,
Daeth hiraeth heno am eich llun a'ch lliw, –

Y llecynnau diangof oedd o'r naill du,
Cartrefi'r tymhorau y dyddiau 'fu.

Hiraeth am bnawniau pan gyrhaeddem y fan
A dim enaid byw ar gyfyl y llan:

Y pnawniau haf, wedi'r cerdded c'yd,
A neb i herio ein hawl ar y byd,

Nantglyn a Henllan digwafars y wlad,
Llannefydd hamddenol a Rhiw Mam a 'Nhad.

Yr oes pan safem i'r wiwer a'i llam,
Pan estynnai'r siopwr gadair i Mam;

Pan oedd amser a llonydd i fynd am dro
(Cyn i fodur chwyrlïo o gylch y tro).

Taith aml ei thaw, heb fraw, heb frys,
A cheiniog neu ddwy at dorri blys.

Rheidiau bywyd yn dwyn ein bryd,
Trafod mwy na'r bêl, trafod llai na'r byd:

Pnawniau heb angen na dysg na dawn,
Y pnawniau digynnwys, y pnawniau llawn.

Dau grwydryn gynt heb geisio boddhad,
Heb na diben na diwedd i'w milltir gwlad.

A dyna paham y daeth hiraeth gwiw
Am Henllan, Llannefydd, Nantglyn, a Rhiw.

John Roderick Rees (1920)

GWREIDDIAU

A'r tywod yn llifo'n dawel
nid adwaenont hwy
anfarwoldeb y cloriau celyd,
eithr hwy a'u tebyg
yw hanes cenhedloedd
hyd bentir Amser.

Hon oedd eu canrif hwy
a barodd fy mod i yma nawr.

Tu ôl i Nhad a Mam
yr oedd y pedwar,
dau ddat-cu a dwy fam-gu,
John a Marged, Thomas a Rachel.
Tri ohonynt a arbedwyd
i gario beichiau
y bedwaredd ganrif ar bymtheg
dros sticil yr ugeinfed,
a glanio'n gefnsyth
ar eu traed eu hunain
i herio ei thlodi a'i rhyfeloedd hi.

Bu'r baich yn ormod i Mam-gu,
Marged Rhyd-las, a bu farw
bum mlynedd cyn tranc Fictoria,
gan adael un ar ddeg o blant
i'w magu'n wâr gan John fy nhad-cu,
yn ddi-ffrils ond yn ddi-angen;
pob hynaf yn ei dro yn camu'n gynnar
dros drothwy'r ysgol
i was'naethu ceginau a buarthau helaethach
cyn i lwybr hen ewyrth eu harwain
i Whitechapel a Bethnal Green.

Dat-cu Rhyd-las, annwyl mewn atgof,
yn fy nisgwyl ddydd Sadwrn
i mo'yn chweugain pensiwn o'r post
a dŵr o'r ffynnon yn y bwced enamel gwyn.
Saer coed, wedi dal yn syth a thrwsiadus
hyd saith a phedwar ugain
a marw'n dawel o fewn cwta wythnos
heb felltithio na Duw na dyn
am ddrain a mieri'r daith.

Dat-cu Blaenwaun, darn o'r hen wytnwch,
darllenwr, gŵr galluog, hir-gofus greadigol
storïwr ac achyddwr gwybodus;
un o naw o blant
yn rhifo'i chwarteri ysgol prin
rhwng misoedd bugeilio ar Fanc Siôn Cwilt.
Tyfu i fod yn arloeswr y cob Cymreig,
Thomas Rees, yr unig ddyn march
â cholofn i'w hanes yn *Y Bywgraffiadur Cymreig*.
Fel John Jones, Rhyd-las, ciliodd Thomas Rees
heb fod yn faich ar neb
o fewn blwyddyn i bedwar ugain a deg.

Rachel, mam-gu Blaenwaun,
yn gaeth gan wynegon,
yn angylaidd ddi-gŵyn a distaw
yn ei chornel am dros ugain mlynedd;
harddwch ei doe yn y gwallt eurgoch
er i'r gelyn grebachu bysedd dyfal
yr ofalwraig ddarbodus gynt,
campwraig reis a thwmplin falau.

Ar feddfaen Thomas a Rachel,
benthyciais eiriau T. Gwynn Jones:
"Tawel yng nghanol pob tywydd,
Dewr hyd ddiwedd y daith".

Er dagrau ei diawledigrwydd
hon a fu Canrif Fawr
y dyn cyffredin.

Bellach ni raid wrth friwsion
oddi ar fyrddau cardod
i gadw corff ac enaid ynghyd.

Daeth gwyddonydd a meddyg a gwleidydd
yn weision i'r gwas dioddefus;
o Fleming i Baird,
o Lanystumdwy i Dredegar.

Yn y gadwyn hon
mae craidd ein goroesi,
muriau ein hirymaros.

J. R. Jones (1923)

CORS FOCHNO

(Credid erstalwm mai'r hen wrach oedd yn gyfrifol am ofnau'r brodorion)

Ni ddaw un wraig silwetaidd ar brynhawn
O hydref yn hamddenol dros ei thir,
Cyn dychwel o dan bwysau'i chawell mawn
Â baich o danwydd at y gaeaf hir.
Ac ni ddaw'r wrach-mewn-clogyn ar ei rhawd
I lechu wrth y tai yng ngolau'r lloer,
Gan fwrw'i chryndod ar drigolion tlawd
Cyn sleifio'n ôl i hedd ei siglen oer.
Ond deil y llysiau prin ym môn yr hesg
A'r adar i ymbincio yn ei gwlith,
Gan ddenu y dieithryn taer o'i ddesg
I'w swyno â hudoliaeth pob rhyw rith.
Ond am y brwydrau milain fu'n y fro
Hi geidw'i chyfrinachau o dan glo.

Gwyn Erfyl (1924)

DAW'R GWANWYN YN ÔL

(Ar ôl gwrando ar hen record o'm diweddar frawd, Gwilym Gwalchmai [1921-70], yn canu "Y Berwyn" a'r "Gwanwyn Du".)

"Daw'r gwanwyn yn ôl i Eifionydd cyn hir
A glas fydd yr awyr a glas fydd y tir,
Glas fydd y cefnfor ond du yw fy mron
Glas yw y llygad sy 'nghau dan y don."

Ein gramoffon
Yn ferfa a'i thin i fyny –
Yn swatio 'dani
Ti yn Chaliapin a finne'n Gigli;
Hyn cyn i'r Columbia deu-ddrws, derw
Barchuso breuddwydion.

Ein menig paffio yn sach wedi ei leinio â gwellt,
A'r cyfan yn focsio gwâr,
Teilwng o Petersen neu Tommy Farr,
Nes chwalu o'r stwffin a rhwygo o'r sach.

Criced wedyn.
Lwmp o bren hôm-mêd yn fat,
Stympiau cnotiog o'r gwrych yn wiced,
A'r llain yn faes brwydro Yorkshire a Notts:
Hardstaff a Leyland,
Larwood a Billy Bowes,
Ac i brofi nad pŵer oedd popeth –
Troi yn ein blinder at Verity'r troellwr,
Heb wybod hyd heddiw
Ai twll yn y cae,
Ai twidlan bysedd a barodd i'r belen wyro!

Troi'r cae yn ei dymor
Yn Maine Road a Goodison.

Dau bolyn a chortyn a swigen mochyn,
Ted Sagar a Swift yn fwâu eog rhwng pyst,
Ac ergydion Tilson a phenio bwledog ein Dixie Dean.

Rhuthro o chwys gwair a gwenith
A chraig llyn y felin yn llwyfan i'n deifio dwfn
Pan oedd yr haul yn falm o felyn.

Rhannu nosau'r trowynt
A hwnnw'n plastro'r eira distaw 'gylch y tŷ,
A ninnau'n dau yn suddo i ddyffryn dwfn ein gwely plu.

Rhannu hefyd ein hosan 'Dolig
Pan oedd y syml yn flas
Cyn dyddiau'r saim a'r braster bas.

Ac wrth dy ollwng cyn pryd i ddaear ein tras,
O na fai hynny hefyd
Yn rhan o'r brafado,
Yn rhan o'n dychymyg glas.

Einion Evans (1926)

BETTY A MINNAU

(Er ei bod yn adeg "cyffrous" y Milflwyddiant)

Yma'n awr yr ŷm yn un,
ni wyddom am stad deuddyn.
Waldiodd duwiau ffyrnau ffawd
ni'n unffurf â heyrn anffawd.
Yma'n oer fe wyddom ni
am y bythol fflamboethi.

Rhannu a wnawn yr un nef,
eiddom yr un dioddef
â'n gilydd, yr un galar,
mawr yw'n cwyn am yr un câr.
Ni ddarfu ein caru caeth,
yn awr ni dderfydd hiraeth.

Mae cydfod ein gardd flodau
yma'n ddwfn harmoni i ddau
yn aria'r ddwysaf geirios
neu fawlgan yr organ ros;
a daw ysbaid o osber
yn salm liwus trwy bys pêr.

A hi'n wres rhannwn yr haf,
a hi'n iâ rhannwn aeaf.
Rhannwn ofn a rhannwn hedd,
ing enaid a chynghanedd.
O'r gwae enfawr, o'r gwynfyd,
a ni'n bêr rhannwn ein byd.

Yn y marw tymhorol
rhannwn ddarn o'r un hen ddôl
wedi cael o'n rhyddid caeth
i ryw deg waredigaeth.
'Run diwedd, 'run dyhead,
'run bedd hardd, a'r un boddhad.

Aled Rhys Wiliam (1926)

FFOLINEB YR OES

Os oes Duw, nid yw yn deg
symud seiliau rhesymeg;
drysu fydd pen direswm
a lleddf fydd ei gyflwr llwm.
Gormes amser sy'n peri
coelgrefydd newydd i ni.
Rhy gynnar fu'r ganrif hon
i daro'r blwyddiaduron:
diddim bwnc, nid yw ddim byd
ond rhif ar galendr hefyd.
Y mileniwm eleni,
yn ôl y sôn glywais i,
fu'n sagrafen-galennig
a braf fâi bod ar y brig
yn dathlu a rhannu'r rhod
a dyfal gynnal defod.
Ond ofer canmol Dwyfil:
yn sownd mae'n mynd rownd-y-ril
a'r Dôm sydd fel rhyw domen,
a'i maint yn d'wedyd Amen.

Gareth Alban Davies (1926)

I GOFIO MEBI

(ganed 1897)

Ni ollyngodd hi ei law:
daeth iddi atgofion
am fân gwerylon siop,
y miri a'r cecru a'r tynnu coes,
ac acha nos Satw'n
yr ymladd croch ar sgwâr y *Stag*.

Cofiodd am y gŵr ifanc golygus
a gerddodd i'w bywyd;
y caru, y priodi, y cyplu selog,
y plant, y sŵn, y chwerthin.

Cael dod yn wraig gweinidog,
parchusrwydd ar rent isel,
cyfrif bywyd mewn seiadau
a'i fesur mewn troedio trwm
rhwng capel a Mans.

Y te-parti plant a'r trip Ysgol Sul
i'r Barri neu Borthcawl,
y dosbarth gwnïo a'r *Sale of Work*,
bendith y pethau bychain.

Y croeso cynnes fel popty,
y swpera ar nos Sul,
yr aelwyd drannoeth
yn llawn stympiau ffags a hen bregethau.

Y gweithgarwch hwn a'r ddolen gariad
a'i cynhaliodd
hyd at y ffarwelio oer,
y farwolaeth fel rhodd ysgafn
a'r distawrwydd di-adlais hwn.

Finnau, ymhen ugain mlynedd a mwy,
ni ollyngaf ei llaw.

JOHN FITZGERALD (1927)

WRTH DDOD I'R BYD

(Hebreaid 10[5+])

Dy eni o wraig.
Sut arall y deuet i'n plith, i fod yn un ohonom?
Egino ynddi'n ddeunydd annelwig,
ac ynot gynddelw ei delw hi a'i llun.
Blaguro'n galon, aelodau, dwylo, pen.
Blodeuo'n faban cyfan yn y gwyll cynnes, coch;
sugno bawd, rhoi cic yn awr ac yn y man,
a chysgu o hyd ac o hyd
gan fyw ar gylchlif ei gwaed
hyd nes iddi esgor arnat, ffrwyth ei chroth.

Dy eni o wyryf.
Sut arall y deuet ti?

Dy roi, o'r tu hwnt i'n hymffrost ni.
Sut arall y deuet ti
yn asgwrn o'n hesgyrn, ie, yn gnawd o'n cnawd?
Nid o ewyllys cnawd, nid o ewyllys gŵr.
Isaac, fab hwyr yr addewid, nad arbedodd dy dad mohonot,
Samuel, o obaith y tu hwnt i obaith,
y gwendid cryf a'r gwiriondeb doeth.
Wele, mwy oeddet eto, mwy wyt eto na'r un,
y Gair o galon Duw i galon dyn.

Dy gloi mewn bedd.
Sut arall y dylem drin dy gorpws hwn,
ac arno friwiau chwip a drain a hoelion, a gwayw gwaywffon,
yn wag o'th waed, a'th esgyrn heb eu torri?
Dy lapio mewn aroglau pêr, mewn gwyll.

Treiglo'r maen.
Sut arall y deuai'r wawr?
Yn y bore bach, datgloi'r hualau,
dyfod ag awel bêr o'r nef i'th esgyrn hyn,
dyfod â gwynt y gwanwyn ir yn ôl i'n byd.

JAMES NICHOLAS (1928)

GWEDDI

I gofio Ioan Bowen Rees, Tal'sarn.
Cenedlaetholwr, Cymydog, Ffrind.
Bu farw Mai 4ydd 1999.

Atat O! Dad, y trown yn awr,
Wele â chân y diolchwn ni;
   Golau a giliodd:
Dywysog nerth, ef a fu'n ein dysgu ni,
   Ac anadl iach i genedl oedd,
   O! Dduw, rhown ddiolch.

Eto, y wyrth, O! Dad.

   Mwyn ydyw Mai
   A'i dwf yn ei dir.
Ond y golau, yr hud a giliodd:
Dywysog o nerth, ef a fu'n ein dysgu ni.
Ef oedd hoff Lyw. Ni dderfydd y fflam.

   Wele â chân y diolchwn ni.
Y golud mwyn oedd galwad y mynydd,
Oni bu herio cribau Eryri,
   Sathrodd ar y niwl, syrthiodd i'r nos.
Dywysog o nerth, hwn a fu'n ein dysgu ni,
   Ac anadl iach i genedl oedd.

   Mwyn ydyw Mai
   A'i dwf yn ei dir.
Ond y golau, yr hud a giliodd.
Dywysog o nerth, hwn fu'n ein dysgu ni,
   Ac anadl iach i genedl oedd.
Ef oedd hoff Lyw. Ni dderfydd y fflam.

Yn frenin a'i farc ar y Frenni Fawr,
Yno bu wedyn ym Mhant y Beudy,
   Yna llunio caer yn Llan y Cefn,

Hyd Faenclochog, a'r mawnogydd
  Yn drwm ei droed:
Mae ei ôl i'w weld mewn aml i le.

  A'r weddi hon yw'r waedd unig.
  Yno'n ei lys yn Nhal'sarn
Haelioni bardd oedd heulwen y byrddau:
  Y grasol groeso,
  Y grasol groeso,
A hwythau o hil pendefigaeth hen.

Eto y wyrth, ein Tad.

  Mwyn ydyw Mai
  A'i dwf yn ei dir.
Ond y golau, yr hud a giliodd.
Dywysog o nerth, hwn fu'n ein dysgu ni,
  Ac anadl iach i genedl oedd.
Ef oedd hoff Lyw. Ni dderfydd y fflam.

O! gymydog mudan.

Y golau, y golau, yr hud a giliodd.
  Ond ni chollwyd y breuddwydion –
  Nid o bridd y gwnaed breuddwyd –
A'r deffro'n agor hyd ddyffryn Ogwen,
  Cewch ei allu hyd Cochwillan,
A ias y grym i'w glywed hyd Faes-y-Groes.

  Mwyn ydyw Mai
  A'i dwf yn ei dir.
O bennau'r gerddi, chwifia'r baneri gwyrddion.
  Plygwn, diolchwn O! Dad.

O! Dad yn y nef, dywedwn yn awr
  Diolch, yn dawel
A dwys, am Noswyl Dy Nadolig Di,
  Ac am degwch dy gymdogion.

Unwaith bu golau, unwaith bu galwad,
Lawergwaith bu golau, lawergwaith bu galwad,
O! gamau doeth, bu mwyn y gymdeithas:
  Dywysog, dywysoges deg.

Eto y wyrth, ein Tad

  Mwyn ydyw Mai
  A'i dwf yn ei dir.
Yno bydd gynnwrf, a bydd geni;
Ac wedi geni, fe gwyd y gogoniant,
  A daw'r golau ar bob dirgelwch.
    O! Dduw rhown ddiolch,
    O! ddaear rhown ddiolch,
  Am ei eiriau, am y mawredd,
    Diysgog dywysog doeth
    Yn oes oesoedd
    Mwy Amen.

Selwyn Griffith (1928)

DWY FIL O FLYNYDDOEDD

Dwy fil o flynyddoedd yn ôl,
Dywedodd Duw –
  "Mi drefnaf Ŵyl,
  ac mi a alwaf yr Ŵyl
    yn Nadolig".

A Duw a greodd seren,
ac fe'i gosododd uwchben y byd,
ac fe drefnodd daith i dri Santa Clôs
  ei dilyn ar gefn eu camelod.

A Duw a ofalodd
nad oedd lle yn y llety
i Joseff a Mair.
Fe styrbiodd gwsg y bugeiliaid,
ac fe ddysgodd gân o orfoledd
  i'r angylion.

A phan stopiodd y seren
uwchben y beudy,
penliniodd y tri Santa Clôs
wrth erchwyn y preseb,
gan lenwi hosan yr hen foi bach.

Ac yn ei balas
'roedd Herod yn gwingo.

*   *   *

A dwy fil o flynyddoedd yn ddiweddarach
  daeth Herod
    i Dunblane.

Emrys Roberts (1929)

CROESAWU'R CYNULLIAD

Ar ddydd ein mawr lawenydd
fe dalai inni gofio'r hanes
am goeden cenedl.

Yr oedd golwg brudd, ddigalon
ar hon o'i boncyff i'w brig
dialaw erstalwm,
a hongian yn gyrff wnâi'r canghennau gwag.

Hen goeden a wyrai
dan gadwyni iorwg
a'i tagai, nes crino'n fain
megis un o drueniaid y gwter,
a'i gwedd fel gaea' tragwyddol.

Ond Pasg y ffrwydrad bythgofiadwy
a ailgynheuodd y nodd yn y ceubren oer
a'i graciau hyll, a rhwng blagur cainc
deuai eco sain y bywiog wedi cusan bywyd
yn felodi o folawd pur o weld
atgyfodiad pren.

Eithr yng nghoeden yr aileni,
ers dydd ei hanadlu'n rhydd yn yr haul
a thawel nos wyrthiol hualau'n syrthio,
pery rhyfel y pryfaid anwel i wenwyno
ei hegin hi er ei gwanwyn newydd.

Mae marc eu hangau hwy'n
drwm ar y canghennau,
a heddiw ymleda'n ddolennau o ddu
ar ddeilen yr Wyddeleg.

BOBI JONES (1929)

CASTANWYDDEN YN PENDERFYNU HEDFAN YM MAI

Gwrandewch ar y gastanwydden
yn peidio â gweiddi ac yn peidio â symud
ei sibrwd ar hyd mydrau'r dydd.
Araf yw'r to gwyn
yn cael ei eni heb sgrech.
Cysgu, ymddengys, y mae'r pren, heblaw chwyrnu
ambell noson noeth.

Clywch ei gwawn yn cau'i amrannau.
Mae'r gastanwydden wrthi'n cogio hepian
uwchben ei pheiriannau trwm
wrth fasgynhyrchu
awyr i'r wybren i'w hanadlu
a dod yn fwy o awyr. Dyma hi ar waith
mor gyfrinachol ag eira.

Dyma hi'n anadlu'i
bodolaeth wen ar y gorwelion ffo a phen-
dramwnwgl. Gwahadden mewn bedd
yw tw'r gastanwydden
er bod ei ffrydiau perl
yn eneinio'r nen, ac ystafelloedd y ceinciau
uchaf, hyd y gwreiddiau,

yn treiddio i'w seleri lle y
storiwyd y gwin gwyn. O'r herwydd palas
chwil yw'r gastanwydden niwclear hon
i ddistawrwydd ymagor
drwy'i blagur: hyd yn oed ym
mhwll y tanwydd meddylgar y mae'n
paratoi'r ffrwydrad madarch

o flodau heb godi twrw. Felly y
llunia'i phenderfyniad yn ei gwely plu mor dawel
â diwedd . . .
Serch hynny, cartref cantref
i franes a geir. Ac felly,
er i'r tu mewn hiraethu'n flodau
am fod yn wybren, nid unplyg yw'r hedd ar
y goeden am fod ei gwesteion

yn reiat. Fel pobl, na wyddant mor lân
yw cyffwrdd ag ymyl gwisg yr areuledd
llyn-o-luniaidd, saetha'r
bwganod-brain
o frain eu drylliau diddeall
ar lond bore o geinciau'n breuddwydio'u
hugain oed hyd at barti.

Yno lle yr oedodd llonydd
yn anwel ac mor llethol â llaeth, wele,
picia'r seiniau duon drosti
yn hen wragedd
(ynghyd â'u ffyn) am oriau i franychu
awyr gyda'r swigod gymylau yn gawod
daranog o gywion drwy

heli'r haul yn hela
a rholio mewn carnifal rhegfeydd
branllyd o gŵn. Hithau,
mor araf ag
unigrwydd, erys yn fodlon
ar fod yn danchwa fud heb ddweud
dim gan ymatal

mor dawedog â'i heneiddio
can. Ac wrth gwrs, blina'n brain.
Wedyn o'r tu mewn iddi'i hun
y goeden a ddaw
yn ei hôl â sŵn ei goleuni
i foddi'r holl darfwyr yn ymosodol fel pe bai
eglwys yn ymrithio'n

fuddugoliaethus yng nghanol
celanedd ar faes y gad. Ond 'fedr hon ddim
yn ots i'r brain a'u pigau
cigog ond dwysáu
wrth i'r ceinciau gynnau
mân-oleuadau uwchben ar ei chorun
sanctaidd. Dengys hithau'r

gastanwydden y medr
hi hefyd, wedi'r cwbl, hedfan yn llacharedd
drostynt. Drwy fodolaeth y rhed beth
cyn lledu'i blynyddoedd
o wybodaeth am y brain uwch
caddug eu crawc gras, ac ymlaen yr hed â'i
siandelierau i lifoleuo'r

peidio. Yn ddistaw y lleda
ar draw eu pensyndod ei hadenydd
gwynion yn nenfwd ynfyd, ac ymlaen
yr hed yn angyles
ganghennog amlwyrddedig
wen, nes i'r goleuni fflamio'n fflwcs
gan egluro'i ffydd i'r calonnau.

Gwesty a'n nodda yw'r gastanwydden
rhag branes (a'i chwsg yn dwyll) wedi
tynnu i mewn iddi'i hun yr heulwen
a ladrateir gan
y trwst a'r dwst a'r trachwant,
ond a fuddsodda hi yn ei llewyrch
gyda phopeth clwyfedig.

Wedi dringo tŵr y mae'r blodau
mor uchel nes eu bod, wrth syllu yn ôl
ar y dynion islaw, yn saethu
smotiau didristwch a di-drwst.
(Gwir westai goleuni yw gweld.) Ac erys
y rheina i'r gwyndra anelu o'r uchder
ac arlwyo rhag pob stôr ei ddistawrwydd.

Meirion Evans (1931)

TRO AR FYD

Bu dyrnau eich cynddaredd
yn curo hyd at waed
ar y ceyrydd hyn,
ond ni ddaeth neb erioed i'r drws.
Buoch yn trwmpedu eich treialon
heb glywed dim
ond atsain yn eich gwawdio o'r muriau.
Codasoch eich plant
i ben y llwyfan llyfrau,
ac ni chawsant hwythau ychwaith
gymaint â chip
ar fel mae'r ochr arall yn byw.

Ond heddiw
agorwyd y pyrth
a bylchwyd y mur
i'r arglwydd gael ei ollwng
ac i chwithau ddyfod i mewn
i'w ogoniant ef.

Gan hynny,
diosgwch arswyd eich gwaseidd-dra,
a'i daflu gyda'r cap i'r gwynt.
Rhodiwch yn rhydd drwy y rhododendron
a dychryn yr adar dieithr.
Meddiannwch yr ystafelloedd moethus
gan syllu yn heriol i fyw llygaid
y cenedlaethau llym
sydd yn crogi yno yn oriel y marwolion.
Cerddwch hyd y coridorau deri
i gyfeiliant tramp esgidiau
a wisgwyd heb deimlo'r gwasgu.

Dafydd Rowlands (1931)

SIONED A SARA
YNG NGHYFRWY AMSER

Wyresau fy ngwaed,
cawsoch eich deffro o gwsg,
a'ch gosod i eistedd, fel petai, yng nghyfrwy Amser
i neidio gyda'r tân gwyllt dros ffens y ganrif.
Ni chawsoch (a hynny rhyngoch chi) o'r ganrif a fu
ond pump o flynyddoedd –
pedair a deng mis, a bod yn fanwl.
Ac mae'n rhaid bod yn fanwl wrth drafod Amser.

Mi gefais innau fwy:
pedair mil ar hugain, wyth gant, pedwar deg a phedwar
o ddiwrnodau.
Ie, gymaint â hynny.
Tapestri cywrain ei bwythau? Go brin.
Clytwaith anniben o sidanau a charpiau;
mat racs tebyg i'r rhai a wewyd gan Mam-gu 'slawer dydd
o ddefnydd wast hen ddilladach.
Rhyw fywyd felly; 'mbach o bopeth.
Ond mwy o garpiau nag o sidanau.

Diolch er hynny amdano,
oblegid heno, a sgrech y rocedi'n emyn o fawl
i dreigl didostur yr Amser sy'n oeri fy ngwaed,
cefais fendith gynnes eich gweld, wyresau fy ngwaed,
yng nghyfrwy Amser
yn neidio dros ffens y ganrif i gyfeiliant fy ngweddi.

Wyresau fy ngwaed, dyma fy ngweddi:
i chwithau, yn yr amserau nas gwelaf i,
– y tapestri cywrain ei bwythau nas gwelais innau,
– mwy o sidanau nag o garpiau.
Ond nac anghofiwch
glytwaith eich hen, hen fam-gu.

Bryan Martin Davies (1933)

RHAID BOD

(Er cof am fy ngwraig, Gwenda)

1

Rhaid bod galar ar amcan am eiriau,
fel y mae gelen ar annel am waed.
Mae'n sugno sillaf, yn sipian seiniau,
yn drachtio'n ei drachwant o'i ben i'w draed.

Pesga'n ei flys ar acen sy'n atgo,
ar freuder y ffonem ef a dewha,
llarpia lafariaid, eu swyn a'u hosgo,
atsain cytsain; mudandod a fwynha.

Eithr aruthr yw iaith, can's hi a drecha
y dilewyrch; fe oleua'n ddi-ffael
artaith hiraeth, ei frech a ddilea,
fe rydd i bob tristwch yr egni hael . . .

i ddweud beth? ond i sibrwd yn y glust
fod galar yn elen, neu'n elyn. Ust!

2

Angar d'angau; datododd y tyndra
yn llinell y llinyn a'th ddaliodd c'yd,
trwy ddengmlwydd d'aflwydd, minnau'n fy hyfdra
a geisiais glymu'r toredig ynghyd.

'Nid trist yw tranc, fy nghariad, fe nofiodd
yn hen afon ofn y pysgodyn byw;
yn ei wysg diysgar ef a'm llusgodd
i rwydau ei reidrwydd. Ef fu ac yw.

Yn ffrwd y Ceiriog, ef oedd y brithyll
a grynai rhwng cerrig llithrig fy myd,
ei liwiau ef a ffrwydrai'n gandryll
dros fryniau'r Berwyn a fu i mi'n grud.

Pan ddaw d'amser bydd ef sy'n yr Aman
yn gâr i'th groesi, anfad dy felan.'

T. R. Jones (1933)

LEWIS VALENTINE

Rwy'n cofio dy weld
yn ddwylath o foneddigeiddrwydd
mewn pitw o bulpud ym Moreia
a'th Gymraeg yn berffaith lân.

Dangosaist inni'r gof
yn craffu ar yr haearn,
wrth iddo frwydro yng ngwres y ffwrnais.

Gwyddwn am dy ddarostwng gynt
yn y Llwyni Wermwd;
a'th wisgo mewn crys cotwm;
trôns di-incil, cwta;
trowsus llwyd;
a chôt a gwasgod o wlanen.

Am fod haearn yn dy waed,
ac am i tithau frwydro yng ngwres y ffwrnais.

Daethost i'n haelwyd
gan blygu rhag taro dy ben
yn nrws y parlwr a alwem yn lolfa.

Ti oedd y cyfarwydd yn ein seiad
a bwrlwm dy frawddegau llenyddol
megis ffynhonnau bywiol o ddyfroedd.

O'et yn ddigon mawr i blygu
ac i ddisgyn o entrychion
dy ddiwinyddiaeth a'th ddysg
i gwmpawd distadl
fy mhregeth ffwrdd-â-hi.

Daethost wedi hynny
i'm pensynnu â'th wybodaeth.

Soniaist am athrylith y 'sgriw' yn y carchar,
am ddawn y Doctor Kate,
ac am weledigaethau Bonhoeffer, dy gyd-garcharor.

'Rwyt yma o hyd
yn procio ac yn ysbrydoli.

'Rwyt yng nghrochan y dadeni
yn y Rhondda, Llanelli, ac Aberconwy.
Daeth dy heniaith adref i Went
ac awelon iachusol i chwythu
dros Faesaleg, Twynbarlwm, a Mynydd Islwyn.
Daw dy lais o'r llwch
i'n ceryddu rhag esgeuluso'r 'Winllan Wen'.

T. JAMES JONES (1934)

DIWRNOD I'R BRENIN

(i Dat)

Un ha' bach Mihangel,
cyn y gaeaf anochel,
roedd ein siwrne'n anorfod,
yn bererindod.

Dringo'r Graig Fach
o Gastell Newydd Emlyn
heibio i'r perci bara-menyn,
ei berci llafur 'slawer dydd,
a'u cyfarch â gwên adnabod,
fel pridd o'u pridd.

O ffarm i ffarm, agor ffordd
â chof pedwar ugain haf
a gaeaf.
Enwi
pob amlin a ffin a ffos
o'r map ar gefen ei law.

Ac er bod naws gaeaf hir
yn goferu i afradu'r haf,
roedd enwau'r cwmwd
fel gerddi cymen.
Danrhelyg a Phenrherber,
Terfyn a Shiral a'r Cnwc.
Cefen Hir, Penlangarreg,
Glyneithinog a Llwynbedw –
crefftwaith cartograffeg
brenin ei gynefin hud.

Fe oedd y map,
a mwy.

Ni cheir ar fap mo'r tramwy
o glos Dôl Bryn
at ysgol Parc y Lan,
na'r rhedeg 'nôl.

Ac ni cheir gwên y chwarae
na'r troi chwerw
i'r gwâl yn gosb cyn swper,
na mynd ar ras drwy'r pader.
Ni welir mewn un ordnans
gosi'r samwn mas o'i wely,
na maldodi cloffni
llo bach ca'-bach-dan-tŷ.

Nid oes groes lle dysgai'n grwt
dorri gair ar goedd â'i Geidwad.
Nid oes liw o'r bryncyn hud
lle bu'n llanc yn cwrso'i gariad.

Aros
i gofio cyfoed agos
yn danto byw ym Mhant Ishelder.
Oedi
i glywed sgrech digofaint
teulu'n disgyn i Dre-din.

Dod at fforch –
un hewl i Gwm Difancoll,
a'r llall i Ebargofiant.

Ni cheir mo'r rhain ym mhlygion
atlas Cenarth a Chilrhedyn,
ond fe'u ceid i gyd ymhlyg
ar ddalen ddwys ei gof.

Troi at ddalen newydd,
ac yng ngwres ei lais,
clywed cymanfa hau a medi,
hosanna sychau'r cwysi union
yn troi'r tir glas yn berci cochion,
a haleliwia hen galonnau
rhagorol eu brogarwch.

Troi dalen arall,
a'm harwain hyd y feidir
at fynegbyst yr ail-filltir.

Yn y fan a'r fan
bu'r caru'n fwy
na'r hyn oedd iddi'n rhaid.

Yn y lle a'r lle
bu estyn llaw
drwy waed y llwyni drain.

Bu hon a hon
tu hwnt o hael,
a'i bara'i hun mor brin.

Âi hwn a hwn
i fachu'r haul
i roi ei wawl ar wair ei elyn.

Roedd rhyw ystyr hud i'r siwrne,
ac er bod hydre'n gennad
i'w fyrhoedledd
a'i ddiwedd ei hun,
erys tirlun troeon-yr-yrfa
fel ffermydd John Elwyn yn y cof.

Fel un cyfrin o'r cynfyd
trôi'r cyfarwydd
hanes bro yn chwedl,

ei cheinciau'n ymestyn
o Genarth i Gilrhedyn,
a'r digri bob yn ail â'r deigryn.

Cyrraedd Cwm Cuch,
a'r Fox an' Hounds,
a'r pererin,
yn ôl ei arfer,
yn tynnu ei gap,
a chyfarch y Sais
a ddiferai'i gwrteisi –
hwnnw a hudodd wledydd
i'w troi'n goch ar fap y byd . . .

Ar ôl rhoi'r byd yn ei le,
a thrafod tywydd
y mileniwm newydd . . .

gydag ystryw debyg i un Pwyll yn gwisgo pryd a gwedd Arawn yn Annwfn, cymryd a wnaeth yr henwr agwedd dieithryn. A than hudlath llygaid yn pelydru arabedd cynhenid y Shirgar, sef a wnaeth Mewnfudwr, twrio o dwba ei ystrydebau am hyfrydwch Bro Emlyn. Ac ar hynny, ad-ddodi a wnaeth Mewnfudwr y buasai hi'n fuddiol i'r henwr, cyn cyrchu ei lys ei hun, fynd parth â'r castell i weled adfeilion y sydd yn dygyfor rhamant mil flynyddoedd y cantref. Sef a wnaeth yr henwr, cytuno hyfryted ganddo fuasai gwneuthur hynny'r nawnddydd hwnnw, gan ei bod hi'n ddiwrnod i'r brenin.

Do you know your way there?

Â gorfoledd pererin ar ei daith tua thre
atebodd y brenin yn gadarnhaol,
ac atodi'n hamddenol, wrth wisgo'i gap
fod gan ei fab fap.

Dic Jones (1934)

DAMEG Y WHILBER

Rhan o'r drefn bob pythefnos
Oedd trïo tacluso'r clos.
Hen glos caregog, a'i laid
A ni'n wan yn boen enaid.
A rhaid mud fy mrawd a mi
Bob tro oedd rhofio'r grefi
Â'r brws mewn hen whilber bren
Ymaith i bwll y domen.

Wagen o whilber dderi
Ag olwyn harn, gul. I ni
Ein dau roedd ei breichiau, bron,
A hi'n wag yn llwyth ddigon.
Ei balans yn helbulus
A'i llwyth brwnt yn llethu brys.

'Roedd rhywle garreg o hyd
Yn ymylu ei moelyd,
A'i gwlybyrog whilberaid
Ar lawr yn rhagor o laid
Yn diwel yn bydewau
A wnâi i ni'i ail-lanhau.

Oni ddaeth yr hyfryd ddydd
I ni gael whilber newydd
Gist sinc, ac un gostus iawn,
Fel asgell cwâl o ysgawn.
Whîl niwmatig a rhigol
Ei llwyth yn esmwyth o'i hôl,
Ac echel na ddôi gwichian
'Rhegi'r hwch' na'r ig i'w rhan.

Ac i mi a 'mrawd mwyach
Aeth y boen yn rhywbeth bach.
Yr oedd ef yn ei nefoedd,
Damon Hill y domen oedd,
Rownd a rownd fel 'tai'n Grand Prix
A'r clos yn drac Alesi.

A bu'r clos am wythnosau'n
Loyw a ni'n ei lanhau
Yn ddigymell. Ambell waith
Am hwyl fe'i carthem eilwaith!
Mwy yr oedd gennym y modd
I ysgawnu'r dasg anodd.
Os yr un y clos (a'r ern)
A'r hen fwd, 'roen ni'n fodern.

NEST LLOYD (1934)

ARCHANGEL A ROTTWEILER

(Delweddau yn Oriel Myrddin)

Chwydfa o sgriwiau, byllt, a hoelion
yw corff yr archangel
sy'n crogi'n gaeth ar fur oriel tre.

Pibell ddu yw'r coluddyn canol,
y gwythiennau'n wifrau efydd ac arian.
Yr wyneb disglair – capan both olwyn car –
heb lygaid, heb geg, heb glust;
yn fasg dros ynni ymataliol.

Clymwyd yn nynamig y cyhyrau
rym sy'n fy nhynnu 'nôl
i gysgod ei adenydd i syllu,
i ofyn pa air all ei ollwng
o ogof wen yr oriel dawel.

Trof at ei gymar, y Rottweiler asgellog.

Wyneb ci, ynghanol haearn a dur
cynhaeaf o ysborion. Wyneb hen dduw
ddiraddiwyd yn anifail anwes.
Ci â meddyginiaeth yn ei lyfiad.

Heddiw ei libart yw'r ddinas fetelig
ond lliw pridd yw paent ei wyneb.
Mae ymbil yn ei lygaid, hiraeth
heliwr na fu'n crwydro coedwig
Cwm Cuch nac ymlid elain.
Gwarchodwr ierdydd tai tlawd ydyw.
Ysglyfaethwr yn chwilio bin am asgwrn.

Angel wynepclawr, Rottweiler adeiniog;
creadigaethau llygaid a dwylo artist o eneth.
Dau bŵer. Dau was. Dwy forwyn?

I bwy?

John Gwilym Jones (1936)

CADW

(Wedi diwrnod ar draeth yng nghwmni'r ddwy wyres)

Daw'r olaf o'r gwylanod
  I dynnu'r dydd o'r traeth,
Y dydd fu'n donnau llafar,
  Yn erw o dywod ffraeth:
Ofer fydd holi'r awel
  Bryd hynny i ble'r aeth.

Pan welir bysedd ewyn
  Yn rhwygo'n cestyll brau,
Pan fydd llieiniau'r llanw
  Yn golchi'r ogofâu,
Bydd hwyr pob hwyr yn nesu
  I ddifa pob parhau.

Ac eto, er na welir
  Ein hôl gan olau'r wawr,
Bydd ynof berlau chwerthin
  Yn gadwyn am byth ar glawr
A glymodd pedwar enaid
  Un dydd mewn pedair awr.

VERNON JONES (1936)

TEG EDRYCH . . .

Teg edrych ar y bwrdd sgôr symudol:
Un mil naw cant naw deg a naw.
Rhif blynyddoedd y Groes.
Bu pelawdau o freichiau'r canrifoedd
yn codi, yn troelli, yn taro a chleisio
heb chwerwi dim o'i ysbryd.

Anodd fu'r llain erioed.
Buom fel y Phariseaid gynt
Yn ceisio cipio Ei wiced.
Mynych bu Ei reswm y tu hwnt i'n deall,
ein dallu wrth golli Ei eiriau rhyngom a'r haul
yn llithro rhwng ein dwylo
gweddigar meddal.

Wynebodd y troellwr cyfrwys
yn ymwybodol o'r diafol
y tu cefn iddo mewn padiau afrosgo
yn Ei demtio dros y llinell.
Cadwodd Ei droed heb lithro.

Mae'n deg gofyn . . . am ba hyd
yr addolwn Ei groes,
a ddaliodd gyhyd . . .
heb ei chynnig i neb.
Treuliedig yw'r llain rhwng dau begwn ein byw
gan faint Ei rediadau
drosom ni.

Bellach mae'n deg i ninnau
ei chario i wyneb y goleuni,
ac ysgafnhau yr ysgwyddau
a fu'n dwyn ein pechodau.

Ond ymlaen yr â i'r mileniwm
heb falio am bafiliwn na gorffwysfa,
yn dalog wylaidd
a theg o bryd.

Ninnau'n fonheddig gymeradwyo Ei gamp
wrth ddal i freuddwydio
am orchest record y canrifoedd
na wêl neb ei thorri.

Gwyn Thomas (1936)

DIWEDD YR AIL FILENIWM

Diweddiadau, dechreuadau,
Parhad a thoriadau:
Dyna yw ein gyrfa fer
Mewn byd fel hwn o amser.

A 'dyw hi ddim yn od ein bod ni,
Ddynion, yn gweld yn dda i roddi
I'n dechreuadau ac i'n diweddiadau ni
Ryw arwyddocâd, a'n bod ni
Yn gweld yn ein bywydau
Ryw drefn a rhyw batrymau.

Ein bywydau, meddwn ni,
Eiliadau ydynt o bresennol
Yn y gwacter mawr tragwyddol;
A gwnawn galendr o'r gwacter
Diamgyffred a thragwyddol
Sydd rhwng gorffennol a dyfodol.

A dyma, meddwn – rai – ddiwedd yr Ail Fileniwm,
Yr Ail o'r Mil Blynyddoedd
A ddechreuodd gyda phreseb,
Pan ymyrrodd Duw â'r oesoedd.

Ond oni bai ein bod ni'n
Gweld eto seren a'i goleuni
Uwch stabal ein meddyliau
A rydd inni amgyffrediad
O fodolaeth trwy rym cariad
Ni wnawn ni ddim ond dechrau
Ar ddydd yn dilyn dyddiau –
"Tyr y wawr fel tro arall,
Huan a gwyd heb un gwall".

A bydd rhifau'n dyddiau
Yn troi yn un cyfanswm
O batrymau nad yw'n Batrwm:
Ac, wedyn, fe ddaw nosau.

TEGWYN JONES (1936)

BALED WIL TOMOS A DAI

Mae rhwd ar y wagen, mae dynion yn sbâr
O Went a Morgannwg hyd ochrau Shir Gâr,
Aeth berw'n llonyddwch a llanw yn drai,
B'le heno mae'ch teyrnas, Wil Tomos a Dai?

Wel oti, ma'r wyrcins i gyd acha slent,
Pob pwll wedi cuad o Wendraeth i Went,
A nawr ma' dou golier – 'na od yw'r peth, bán,
Yn neud parte ceir i ryw ffyrm o Japan.

Mae'r afon yn llifo yn loyw ei hynt,
A'r brithyll yn nofio lle na nofiai gynt,
A glasu mae'r tipiau – onid bendith fu'r trai
A fu yn eich teyrnas, Wil Tomos a Dai?

Wel oti, ma'r afon yn dishgwl yn ffein
Ar ôl doti stop ar y drams mewn incléin,
Ond ro'dd rwpath yn perthyn i'r dyddia a fu,
A'r tipie heb lasu, a'r afon yn ddu.

Ni chlywir mo'r hwter a'i grochlefain cras
Yn eich galw fel cynt tua'r hedin a'r ffâs
O glydwch eich aelwyd, diogelwch eich tai.
Onid gwell eich byd newydd, Wil Tomos a Dai?

Mae'n braf yn y bore, shwt, rhaid gweud y gwir,
Ond jawl ma' 'en gofion yn aros yn 'ir,
Ac aros y byddan-nhw, ed, dicon siwr,
Am 'aliers a'u rheci, am bartners mor biwr.

Wel odd-w, r'odd danjer – pa golier a wad?
Ma' lluwch amal bwll wedi'i drochi mewn gwa'd,
Ond rywsiap ma'n 'with fod 'na ddynon yn sbâr
O Went a Morgannwg hyd ochra Shir Gâr.

Mewn ffatri sy'n olau ac iachus, paham
Fod hiraeth am ddoe yn eich calon fel fflam?
Y deryn a fecir yn uffern, 'nôl rhai,
Yn uffern myn drico, medd Wil Tomos a Dai.

EIRWYN GEORGE (1936)

PERTHNASAU

Mae bryniau Wiclow'n bŵl o grib Foel Eryr,
yn llachar yn haul y cof,
yn ddolen gydiol gref yn llafn y machlud
sy'n bwrw'i waed
ar orwel gwely'r môr.

Mae'r cof yn fyw
am y croeso Celtaidd mewn rhyw orest o ffermdy
un haf hirfelyn.

Rydyn ni'n hoff o'r Cymry.
Cysgwch yn esmwyth yn nhangnefedd Erin.
Onid yw'r coed, y caeau, a'r afonydd,
a'r croesau ar gerrig nadd
i gyd yn perthyn?

Hil y tymherau ffrwydrol.
Ffieiddient y Llew
fu'n llarpio'r cnawd Gwyddelig ym Mhasg y deffroad:
a'r esgyrn yng ngharchar y Maze.

Rydyn ni'n hoff o'r Cymry.

Mair yn cofleidio'i Mab mewn ffrâm uwchben y gwely.
A'r shamrog sy'n lledu'i breichiau yn y porth
yn ei phot o glai
yn dwf o ddwfn eu calonnau.

Brecwast yn fêl i gyd.
Rydyn ni'n hoff o'r Cymry.
A'r siglo llaw
angerddol
wrth ymadael

yn gwlwm gwaed.

Nodyn: Y deg ymprydiwr a adawyd i'w llwgu eu hunain i farwolaeth yn y carchar adeg Llywodraeth Margaret Thatcher yn 1981 yw'r "esgyrn".

R.O. WILLIAMS (1937)

YR HEN LONG

Yn dderw hyll wedi'r llongddrylliad,
Dy bren fu'n foel asennau
A llif llanw'r canrifoedd
A'i gerrynt yn dy sgwrio.
Dim ond sibrwd ambell don
Ar y gro wrth rygnu'r graean
A ddwed am chwedlau dy ddoe
A'r awelon rhydd yn llenwi'r hwyliau.

Denwyd dy ryddid yno
I noddfa twyll-hawddfyd
Addewidion Siôn Sais.
Heb ddeall, fe'th ddallwyd
Gan felltith lledrith y lladron
A'u golau llachar yn galw, galw
Ymhell i'r môr,
Yn denu, denu
I gôl yr hafan gelwydd,
I rwyg y creigiau.

Ganrif wrth ganrif
Bu'n her i'th adfer a bu ein harwyr
Yno'n sefyll yn unig
Yn gwylio treigl y trai
Ac yn llunio'r myrdd gynlluniau
I'th gael o draeth y gwyll
I hwylio eilwaith,
I'th goedio eto a'th godi
O'th ormes yn feistres ar fôr.
  Er y rhain, er dyfalbarhad,
  Er dewrder cewri'r werin,
  Heb hyder ofer oedd.

Ond eleni daeth gwewyr fel murmur o'r môr
I gerdded, i gorddi
Erwau'r traeth ym mhyllau'r trai.
Bu tremio ar batrymau
Glasluniau'r genynnau hen.
Bu seiri newydd a bu saernïo
Ar ddeciau ac offer ar gyfer gwyrth
Ein hyfory a'th gael i forio.
  Yn awr hud coroni'r hyder
  Hwyliaist i'r Bae eilwaith
  A'r rigin yn llawn o ddreigiau.

DONALD EVANS (1940)

CENEDL 2000

Angau'r hil o fwngreliaid:
Awen y beirdd yn ddi-baid
Ganwaith a'i daroganodd,
A meirwon mwy yr un modd
Y taeogion blinion blêr
Â'u rhwydwaith o ddifrawder;
Di-dras y dihidwyr hyn,
A di-wlad o hil wedyn.

Eto hon, fe'i rhoddwyd hi
I linach ei heleni
Gan enwau fel gwawn unnos,
Gwerin oedd fel gwawr a nos:
Golau a gwraidd, glaw a gwres,
Yr anadl nas gŵyr hanes.
Ond onid hwy'r dinod hyn
A gafodd heb eu gofyn
Y gwae a'r her o greu hon
Yn genedl, styfnig weinion,
Gan ei hen d'wysogion hi
A flinodd ei chyflawni?

Ond daliwyd ati eilwaith
O fodfedd i fodfedd faith:
Dygnu at gyfannu fyth
Y gofod oedd dragyfyth.
Ac o'r ddoe esgorodd hi
Ar linach yr eleni,
Nid rhyw artist trist fel tras
Ond ieithwyr o gymdeithas
A fwria i gyfeiriad
Y wawr hwnt i'r hen barhad –
Eu dinas ymestynnol –
Â'r antur i gyrchu'r gôl;

Gwerin iau â gŵr newydd
Mewn gwlad o wead y dydd,
Mor eang o amrywiol
Ac eto'n un â'r un rôl:
Yr anadl â'r peirianwaith
Y sy am gyfannu'r gwaith.

NORMAN CLOSS PARRY (1940)

Y MAE'N AROS . . .

. . . tangnef cynefin,
tirwedd a'i edafedd hen . . .

Uwch y cae, ffliwt brych y coed
a galwad pigfelen o'r onnen noeth.

Chwefror, daw y tractor trwm
i'r tir a gwynt o'i chwalwr tail.

Alcemi mwg coelcerthi Mawrth
dynn rithiol atgo am danio'r eithin.

Wrth loywi swch daw cwysi syth
â chorws o wylain a brain braenar.

Mae'r golau o ganhwyllau Mai ar gilio'n
wyrthiol i greu llygad sipsi o gneuen.

Seren o ehedydd yn gawod o nodau,
tra derfydd deunodau cogau'n y cwm.

Stond yw daear fel pe'n aros,
llwyfan cyn aur y llafur.

Mae piser gwyn yn hanner gwag
a gweflau lliw gan blant y parciau llus.

Clochdar nerth pen a chlap adenydd
o goed y nant, ffesant ar ffo.

Wedi'r llafur y gweithwyr gânt
yn y llan arogldarth buarth a bwyd.

Daw'r eidion a'u traed yn sugno mwd yr adwy
at ffermwr yn fforchio bwndel o gêl o'i gert.

Hen dinsel, uchelwydd a chelyn,
a charol, mansiar . . . a chariad.

DEWI STEPHEN JONES (1940)

YN Y GWYDR HARDD

A pha arfer
(anarferol)
sydd yn ymffurfio
yn ongl y ffenest Ffrengig
a'i echel wrth y paenau uchaf?
Ymwáu y mae'r darnau dall
(onid yw'r simne ar dân?)
yn offeren ddu uwch ffroen y ddaear.

Brain?
Dônt (fel bwrn y dydd)
i'r glas i dreiglo awr
a nofio aer yn niferus:
esgyn fel haig o bysgod
o ddyfnder yr hallt aceri
a throi'n gylch, athrawon y gwaed,
y gwaed ar wyneb y gwellt . . .

O'u bodd anwybyddant
bawb a phopeth yn eu byd dethol.
Chwaraeant nes i chwaer awel
gynnes ac union
(nid troell ellyll
ond thermal y galon)
eu codi yn eu cadwyn,
fry,
uwch cynnwrf y rhod,
uwch na'r wylan a chno'r heli,
cyn belled â nodau'r ehedydd
draw yn y gwydr hardd,
o'r golwg
yn un â'r golau.

IDRIS REYNOLDS (1942)

MAAM CROSS

Ym Maam Cross ar y rhos 'roedd dwy ffordd dar yn cyfarfod,
  A'r un goch, o Galway i Clifden, fel llwybyr tarw;
Fel cleddyf fe wanai i'r byw hyd diroedd y darfod,
  I'r rhuddin a wisgai Erin yn ei harddwch garw.
Yno'n y bwyty 'roedd record rhyngwladol yn seinio
  I gyfeiliant y ddoler, i gainc y cardiau credyd,
A'r ffermwyr, yng ngwres y Guinness, yn hen fargeinio
  Gan durio'n ddwfn i gyfalaf eu dawn dywedyd.
Ym Maam Cross, ar y rhos, 'roedd dwy ffordd o fyw yn croesi,
  A'r *restaurant* a'r mart yn un ar fawndir dynoliaeth;
Y Gwyddel a'r Sais, y twrist a Tara'n cydoesi
  A rhin hen eiriau'r Wyddeleg yn rhan o'r ddeuoliaeth.
A ninnau, fodurwyr prysur y byw Espresso,
  Yn nhir neb, yn clymu'n hasyn ger y pympiau Esso.

EURYN OGWEN WILLIAMS (1942)

EIN HYSGAFN FYD

Un cylch, un tro, un cam bach arall
ar lwybr y chwyldro.

Un tro bach
cyn ysgwyd diferion olaf diwedd cyfnod
i badell y mil blynyddoedd.
Cau balog hen ganrif, tanio'r sigâr,
a chamu 'nôl i'r parti.

Rwyt ti yno o hyd,
mor ysgafn ag addewid,
yn dal y munudau at ei gilydd
a chadw'r eiliadau rhag plymio
i ddyfnderoedd ddoe.

Daethom i nabod ein bydysawd er methu rhifo'r sêr.
Gwelsom ddyn ar y lleuad
ac ni fydd y dyn yn y lleuad
yn ein dychryn mwy.

Er na allem rifo'r gronynnau tywod
na deall ein gilydd, daethom i gyfathrebu
drwy brosesyddion ar sglodion silicon.

. . . ond gallem rifo'r plant heb amgyffred y boen . . .
. . . bob munud y genid 246 o fabanod
i fyd lle mae 600 miliwn o blant yn byw mewn tlodi
a 30,500 o blant dan bump yn marw bob dydd . . .

Hwn yw chwyldro'r bobol.
Tra bo grymoedd corfforaethau a gwladwriaethau
yn ymgynnull ar y gwastadeddau
meddiannwn y bryniau a'r coedwigoedd.
Gwybodaeth yw ein grym. Ni yw'r barbariaid newydd
sy'n goroesi'r chwyldro.

ganrif yn ôl daeth y cwantwm
a malu crochan gwyddoniaeth
yn deilchion.

Planed arall yw ddoe pan oedd ein byd yn drwm.
Glo, dur, a fflem waedlyd
oedd glud ein cymdeithas. Ein cymuned
oedd rhes o dai yn pwyso ar ei gilydd
ar lechweddau'r cwm.

O'r tywod lle poerodd y glöwr
wenwyn ei fflem
mae technoleg yn adeiladu ein hysgafn fyd
mewn silicon a gwydr.

Pan oedd ein byd yn drwm doedd neb
yn darllen y côd a'n gwnaeth yr hyn ydym.
Ni chawsom fap i'n tywys ar y llwybrau
sy'n gweu'r miloedd genynnau
yn rhwydwaith teulu dyn.

mae 140,000 genyn yn rheoli'n natur
a chyflwr ein hiechyd . . . ers 1978
crewyd 100,000 o bobl yn labordai'r Unol Daleithiau . . .
erbyn 2025 gallwn greu person perffaith
o esgyrn sychion . . .

Yn y chwyldro hwn ni fydd Methwsela'n hen
ac ni fydd afiechyd ond llwybr dieithr
ar hen fap.

Nid ar orchymyn mae gaeaf yn troi'n wanwyn
a gwanwyn yn troi'n haf.

Dan yr iâr mae'r wyau'n deor – ond am un;
un wy a'i blisgyn yn sioe i gyd –
dyma gyw deinosor ein gorffennol ni.

Am hyn bydd plant y chwyldro
yn trefnu gwyliau yn y gofod,
i wylio tangnefedd pell y smotyn bach glas
yn hongian
mor ysgafn â balŵn dan gromen ddu.

NESTA WYN JONES (1946)

AURORA BOREALIS

Un swil yw Duwies y Bore.

Daw ar ei thaith yn droednoeth . . .
Ymgripia i'n golwg
A gwrid ar ei gruddiau.
Gwêl ei gwisg o swildod
Yn siglo'n blygiadau
Lafant, gwyrddlas, rhudd
Mewn rhyw feinwynt arallfydol,
A'i gwên fel hudlath
Yn taro
Lle bu teyrnas y tywyllwch.

Saif yn betrus,
Ei sandalau
Ac arnynt ddwy seren befr
Yn llac yn ei dwylo . . .

Sefyll . . .
Ar gyrion y dydd,
Ei gwallt yn tonni yn y gwynt
A'i diniweidrwydd
Yn llenwi'r wybren.

CYRIL JONES (1947)

'GOLWGYDRE LANE'

Mae hi yno fel darn o ddoe – ar ôl.
Canllath o hyd, lle mae heddiw'n hollbresennol

yn stadau tai a ffyrdd – yn ei chladdu o'r golwg
yn y dre. Wtra fach dan ei gwg

a fedyddiwyd rywbryd gan chwys cerddwyr
a gâi gip gynta ar le. Nawr mor ddisynnwyr,

hyd yn oed i ni, yr un o bob deg sy'n deall
yr ystyr a blannwyd gan oes arall.

Hynny, cyn i'r haint groesi'r afon ac epilio
yn frech frics. A rhoi gwynt dail a sŵn nant am byth dan glo . . .

Y meddyliau hyn sy'n cydredeg â'r sawl sy'n rhoi her
drwy gadw'n heini – i'w hunan – ac yn wir i amser!

Drwy we'n byd ar droed, maen nhw'n edrych mor od;
y darnau sy â'u henwau wedi rasio'u hanfod.

Cen Williams (1947)

Y GENI

Ceubren o hen wraig
yng ngwewyr ei thymp.

Esgyrn ei llygaid sydd heno'n llosgi
ac artaith canrifoedd sy'n artaith iddi
wrth weld, heb weld
milwyr mileniwm yn gelanedd oer
a chlywed trwy esgyrn ei phenglog
    sgrechian babanod
        a mwmial mamau
yn ias drwy nosau ei hing.

Yr un yw'r boen yng ngheudod ei ffroenau, –
    drewdod hen frad
        a phydredd dynoliaeth
sy'n hŷn na'i chorpws hi,
ysig wraig a'i hesgor hir
    yn wayw o wewyr
        rhwng gwyll a gwawr.

Ac yno'n unig rhwng brain a brych
mae plentyn ei henaint
    yn wlyb o obaith
        ac yn sglein o ddisgwyl
            fel mesen.

Cymer ef ar faeth
    i'w fwytho a'i fagu.

I'w fam, rho fedd
lle bydd tywod amser
yn cau pob ceudwll
a'r llanw'n golchi crychau'r corff
yn llyfn fel croen y baban.

Tyred i wlychu'i dalcen
    cyn y wawr.

ALAN LLWYD (1948)

AR DROTHWY'R MILFLWYDDIANT

(Allan o 'Ffarwelio â Chanrif')

Maen nhw wrthi eto, yn gollwng bom ar ôl bom;
maen nhw wrthi eto'n dinistrio yn ystod y nos;
maen nhw'n lladd er mwyn atal lladd, â rhesymeg y lleiddiad,
ac yn cynnal cyrch ar gyrch er mwyn gwarchod gwareiddiad.
Maen nhw wrthi'n ein gwthio yn ôl i orffennol y ffos,
ideoleg Passchendaele a rhesymeg y Somme.

Nid yw'r drefn wedi newid erioed, ac yn ôl yr un drefn
bydd rhyw deyrn yn codi â breuddwyd am buro'i ach,
glanhau o'r gwehilion ei hil, ac ar orchymyn
rhyw deyrn sy'n delfrydu'i ach, dileu pob esgymun,
gan brofi nad yw gwareiddiad ond breuddwyd gwrach.
Yr un hen deyrn yn codi a chodi drachefn.

Calon gwareiddiad yw'r grym nad yw'n trugarhau;
y grym sydd o oes i oes yn goroesi gras:
llosgi llond 'sgubor o bobol, rhoi'r diniwed ar dân
yn enw rhyw achos aruchel, rhyw ddelfryd glân;
llenwi'r ffwrnesi â llinach, neu'r beddau bas.
Fel hyn y bu hi erioed. Y mae hyn i barhau.

Gwyddai ein hynafiaid am natur ddidostur dyn,
a chreasant eu delw ohono yn chwedlau eu hil,
Efnisien, yr amharchwr meirch, Cain y cynhennus,
y gorthrymwr a'r gorthrymedig, y teyrn a'r truenus,
a pha ots os cyflawnir gweithredoedd ysgeler yn sgil
y glanhad angenrheidiol, y dileu ar wehilion di-lun?

Drwy Abel y daeth da erioed, drwy Gain y drygioni,
drwy Efnisien y gyfundrefn oesol o ladd a dileu.
Mae Efnisien yn teyrnasu ar Nisien, yn ei erlid o'r nos,
ac mae Cain yn ubain am Abel cyn ei daflu i'r ffos.
Bedyddiwn y ganrif newydd â gwaed cyn ei chreu:
eisoes, cyn y genir ei heinioes, y mae hi ar gynrhoni,

a ninnau'n darparu ar gyfer ein dathlu dall,
gloddest i gladdu'r hen ganrif â gwaredigaeth.
A wahoddir iddi'r miliynau ysgerbydau o'r bedd
cyfun a dorrwyd iddynt? Gwyddom mai gwaddod yw'r wledd,
ennyd o egwyl cyn dyfod yr ailenedigaeth,
cyn trosglwyddo'r trais o'r naill ganrif farbaraidd i'r llall.

Ymlusgwn i ryw Fethlem, liw hwyr, drwy'r mieri a'r drain,
heb seren i'n harwain o'n nos, ond nid oes yr un Nisien
nac Abel ym mryntni'r ysgubor, er y genir dau
i ryw wrach ddrychiolaethus, rhyw sarff yn ffieidd-dra'r ffau;
ac yno, cyn y ganrif nesaf, y genir Efnisien,
ac yno, yn efell iddo, y genir rhyw Gain.

ROBAT POWELL (1948)

YR HEBOG

Cododd o'r cwm caeedig
Uwch y gors a thristwch gwig,
Hebog yr hen ddarogan,
Aderyn gwaed yr hen gân,
Yn hofran uwch llan a lli
Ar adain ei fawrhydi.

I'r mur dieryr y daeth
Yn aderyn gwladwriaeth;
Ei lid ein metel ydoedd,
Ei hediad ein hediad oedd;
Diogelai'r ffald, gwyliai'r ffin
A'i helfaes trwy nerth gylfin.

Yna'r wawr heb adain rydd,
Ond ym mawn troed y mynydd
Anaf o liw'r criafol,
Trywydd o waed trwy y ddôl
Yn rhuban ei ddiflaniad,
Rhigol ing trwy gyhyr gwlad.

Fe ddaeth canrifoedd i'w hynt
Â glaw oer y galarwynt;
Ninnau yn ein dyffrynnoedd,
Er ein marwhau, ynom 'roedd
Un cof fel eco hafau,
Fel gwlith, un rhith yn parhau.

A heddiw daeth trwy'r nudden
Hebog ar wib a'i gri hen;
Yn nhir Taf fe welaf i
Hud ei laniad eleni,
A chael yn ei ddychweliad
Ein hafau oll a'n cryfhad.

IEUAN WYN (1949)

GWLADUS

Drwy'r Chwe Llannerch mae'r ferch fud – yn galw
  O geulu ei chaethglud;
 Rhwyg y waedd Gymraeg o hyd
 O'i chalon ddi-ddychwelyd.

Pan ddienyddiwyd y Tywysog Dafydd ap Gruffudd yn 1283 aethpwyd â'i ferch Gwladus i leiandy Sixhills – Sixleah (Chwe Llannerch) yn wreiddiol – yn Swydd Lincoln, heb fod ymhell iawn o leiandy Sempringham lle'r aethpwyd â Gwenllïan, ei chyfnither. Ni châi lleianod yr urdd gyfarch ei gilydd ond ar rai adegau yn ôl y rheolau, ac nid oedd neb i siarad Cymraeg â hi. Bu farw yn y lleiandy wedi treulio 53 o flynyddoedd yno.

GWYNN AP GWILYM (1950)

MYFYRDOD AR DRO'R MILFLWYDDIANT

Pan gei di'r pŵer, fab y pellteroedd,
Egni i rwyfo drwy'r holl ganrifoedd,
I hwylio'n nwyfus drwy heuliau nefoedd
A harneisio holl rym eu teyrnasoedd,
 Ac o allu d'oergelloedd – llwyddo i gau
Olaf ffiniau yr angau a'i ingoedd,

A wnei di ddatrys hen bos y posau?
A weli di gynllun i ddyn a'i ddoniau?
Oes Duw o'i gyngor sy'n rholio'r heuliau,
A'i law yn dethol d'ofalon dithau ?
 A yw Duw a thi, eich dau – ar wahân,
Neu a yw Ei anian yn dy enynnau?

A ydyw'n gwyro i'n byd yn Ei gariad,
Ai lol yw carol Ei Ymgnawdoliad?
Gwiria seiliau stori'i Groeshoeliad.
Ystyria'r cymod drwy'i Atgyfodiad.
 A oes un Duw sy yn Dad – a bery
Heddiw a fory yn dda Ei fwriad?

Cei wledd o stilio, cei loddest o holi,
Ond ni fydd neb a rydd ateb iti.
Â pob hafaliad yn dalp o foli
Yr Un y tu hwnt i'th holl ddirnad di.
 A rhwng y sêr cymeri – fara a gwin,
Ac ar ddeulin gwyro i addoli.

EINIR JONES (1950)

MELIN LLYNNON
(Llanddeusant, Ynys Môn)

Dros yr erwau llwyd a gwastad
mae gwynt clir a gwyrddlas y gorllewin
yn gyrru'n galed,
ei anadliadau'n emrallt gwyllt
ac oer
o gyfeiriad Iwerydd
ac yn plygu'r glaswellt.

Defaid yn llyfrïau o wlân
ar wifrau a drain agored
rhwng meysydd caregog,
a chymylau gwynion
yn rhaflo'n gnu uchel
yn yr awyr wyntog.

Ac ar ysgwydd y garreg lwyd,
ar y maen ysgythrog
yn chwyrnell o anadliadau,
yn sgwario'i hesgyll,
yn lledu blawd y goleuni
ac yn isel-chwyrnu
mae'r felin,
gwyntyll o ocheneidiau,
griddfannau hen bren,
fflapian rheolaidd,
isel oslef olwynion
a chalico'n dorchau ar hwyliau.

Syndod adeiniog
yn troelli'n uchel yn y meinwynt
gan ruthro ymaith gyda'm hanadl,
yn troi ei meini gwenith

ac yn crenshan gronynnau
gan sgeintio maeth ei bodolaeth gwyn
uwch aceri llydan
y gwanwyn cynnar, oer
ym Môn.

MENNA ELFYN (1951)

BLOEDDIER WRTH BOBLOEDD Y BYD
(Ar Drothwy'r Mileniwm)

A sylwoch mor ddiamser
yw dyn wrth ddod at iaith newydd?
Bydd, fe fydd yn baglu dros gytseiniaid,
yn gohirio llafariaid,
yn gwisgo holl arfogaeth ei ddyhead
am fuddugoliaeth dros fynegiant.
A bydd, fe fydd ei dafod
fel baban bach ar ei ben ôl.

Felly, bydded i bob un o genhedloedd byd
ddysgu iaith esgymun ei gymydog.
Ie, cropian a chwrian mewn corneli,
colli cwsg wrth ei thrwsglo;
cans fel hyn y daw dileu yr amserau.
Ni ddaw'r gorffennol yn rhwydd ar dafod.
Erys iaith heddiw. Bydd yn deisyf hedd,
yn tynnu i lawr yr holl ferfau pigog;
ni fydd amherffaith mor berffaith
â phan nad yw.

A bydd agen, hollt a rhwyg
wedi eu cyfannu'n y geg agored.
Pob newydd ddysgwr â chof
am gyweirio cystrawennau.

Ac ni fydd amser i ledu llid,
cans bydd llwythau wedi eu llethu
â chyfoeth yr holl gerrig arloesi.

A thrwy'r babanod mewn Babel bydd iau
wedi ei godi ac Uniaith yn iacháu
wrth ymryddhau, Rhyddhau wrth hau.

NIA M. W. POWELL (1953)

Y TRI HYN

Pan oedd gaeaf 1998-99 ar ei oeraf daeth tri arwydd o fewn wythnos bod greddf anifail ac aderyn yn ymwybodol o newid ymhell cyn pobl, er gwaethaf gafael y rhew.

Y mae sbeit yn safn Mis Bach,
Mis cur yw mis y corrach,
Rhyw hen gynffon i Ionawr
A'i rew llwyd yn chwipio'r llawr,
Hwn yw mis eillio'r meysydd
A beudai mwy swrth bob dydd.

Ond gynnau ffrwd o gynnwrf
Lenwai'r da, a chlywn ryw dwrf,
Dwy gigfran a'u crawcian cras
Ar ehediad priodas
Wrthi'n gwatwar y barrug
A'r eira hwyr ar y crug,
A heno 'roedd gylfinir
Yn galw oed, un alwad glir
Rhwng rhosydd mynydd a'r môr
Yn rhwygo'r nos ar agor.

Torri'r heth wnaeth y tri hyn
A ganwyd yr eginyn.

Myrddin ap Dafydd (1956)

'DOES DIM YN DIGWYDD YMA'

Mor llwm yw dramâu'r lle 'ma;
hyd yn oed ym mystyn ha',
lliw lludw yw'r dilladau.
Bob nos mae fel 'tai'n bnawn Iau
y cau cynnar; bar y Bwl
yn geg gam, gyda'i gwmwl
du ar tap, a'r adar to
i gyd yn aros Godo,
yn griw di-liw, di-falŵn,
mwsog dros bob emosiwn.

Mae'r lle, fel y dydd, mor llwyd
ei lenni, lle i ddal annwyd,
lle heb hiwmor ben bore –
aeth pob hiwmor heibio'r dre
a'i chwarddiad, 'mond eiliad oedd –
un eiliad cyn cau'r niwloedd.

Ond trwy wyll y theatr hon,
'hyd onglau'i waliau moelion,
daw'r haul yn ffrwd o rywle,
ffrwd sy'n hollti llwydni'r lle.
Daw chwa drwy'r düwch; awel
ar hyd gwteri'r hir hel
a lliw siriol llai seriws
i daro winc ar bob drws.
Tinc cloch y siop; mae popeth
yn dod i'w oed wedi heth
a phob ffenest yn estyn
ei gwydrau i'r golau gwyn.

I'r cwm, fel 'tai dyma'r ciw,
daw huddug o do heddiw

ar fws ysgol, eu lolian
o wal i wal yn baent glân,
dawns o dân yn eu C.D.
a ffeit yn eu graffiti.

Mae yma wrid; mae rhyw wib
eisoes. Mae pethau'n bosib . . .

IWAN LLWYD (1957)

Y DIFLANEDIG

Augustin Ramirez (6.6.88)
Ar fore Sul byddai yno
yn y Barrio San Telmo
yn cynnig sgets byrfyfyr
am ugain peso
i'r twristiaid fyddai'n llusgo heibio
a rhyddid rhyw wlad arall
yn drwm ar eu dillad:

ac â'u doleri cynnil
âi i chwilio llyfrau prin
ar rodfa Libertad.

Miguel Bru (13.8.93)
Yn cythru ei ffordd drwy'r tyrfaoedd
i regi'r Boca Juniors ar bnawn Sul,
glas ei grys yn fwy na'r awyr,
a'i lais yn hedfan
yn dân gwyllt drwy'r terasau:

daeth ei frawd bach adre hebddo,
a'r Sul yn llawn heulwen
a baneri buddugoliaeth:

ar y Plaza de Mayo
mae'r hogia'n dysgu'r grefft.

Maxi Maidana (12.7.97)
Oglau olew La Plata ar ei ddillad
a heli'r môr yn ei wallt,
a phob nos byddai Rosata
yn ei gega am ddod adre'n drewi:

fe wyddai nad chwarae cardiau oedd o
y nosweithiau hynny,
a hithau'n methu cysgu:

roedd hi'n cysgu'n iawn bellach
ac oglau perlysiau'r de
ar ei dillad gwely.

Sergio Duran (6.8.92)
Tynnai ei ffrindiau ei goes
am iddo ddewis dawnsio'r tango
yn lle roc a rôl:

bob nos Wener
gwisgai ei lifrai gyda balchder
a diddanu'r Americanwyr
yn y Viejo Buzòn,
yna dawnsio adre yng ngolau'r lleuad
drwy gysgodion y strydoedd:
mae o'n dawnsio yn rhywle o hyd.

Damian Esquivel (29.1.97)
Edrychai fel Dylan Thomas
yn gweini mewn café,
a phob bwydlen yn ddarlleniad,
yn gyflwyniad llafar:

y shifft prynhawn oedd yn ei siwtio orau:
bryd hynny deuai'r bysgwyr
a'r beirdd am baned,

i gynllwynio'r cyrch nesaf
ar bocedi'r twristiaid:
roedd o'n gartrefol yn eu cwmni.

Enwau mewn paent
yn cylchu cofeb
yw'r cyfan sy'n aros:
a lle bu llinellau bywyd
yn gweu patrymau amryliw
ar strydoedd y ddinas,
mae amlinell wen a dyddiad
ar bafin y Plaza de Mayo
mor derfynol â'r cysgod sy'n weddill
ar ôl y bom.

EMYR LEWIS (1957)

TASE BYSEDD BACH Y RHEW

Tase bysedd bach y rhew
yn cyffwrdd â'u hewinedd main
am eiliad yn y cocos mân
sy'n tician ar y silff-ben-tân
a fferru yr olwynion aur;
a tase'r oerfel sydyn hwn
yn mynd fel haint o gloc i gloc,
gan atal tip pob pendil trwm
a gafael yn y pwysau plwm
sy'n dirwyn y peiriannau dur
sy'n gyrru clociau mawr y byd;
yn rhewi'r electronau chwim
sy'n goglais y crisialau clir
sy'n siglo'r watsis bach i gyd;
nes bo pob oriawr a phob cloc
yn llonydd heb na thic na thoc
a llwch fel hadau dant-y-llew
yn disgyn lle bu'r bysedd rhew;
fase'r mileniwm ddim yn dod,
ond base heno'n dal i fod.

ROBIN LLWYD AB OWAIN (1958)

CYDWYBOD

"Gwell eu dileu, rhag ofn!" sibrydaist ti
A'th wên yn llenwi'th wyneb fel y lloer,
"O leiaf eu dileu o'n llygaid ni!"
A dyna wneuthum gyda'r perlau poer.

O fyd y cyfrifiadur carthwyd hwy –
O westy'r cof – pob rheg a delwedd flin
Ac wedi difa'r cyfan nid oedd mwy
Ond dalen o dawelwch ar y sgrin.

Tair blynedd wedi hyn beth welwn ond
Rhyw ffeil o fewn i ffeil o'r enw 'Temp',
Rhewodd fy niarwybod glic yn stond
O weld y ffeiliau a'u haroglau'n rhemp.

A'r Duw a welodd Auschwitz wrth d'ochor di
Yn chwydu'i waed uwch fy mhechodau i.

YNYR WILLIAMS (1959)

YR ARDD

Bydd synhwyrus wrth wisgo
dy ddillad isa di;

bydd fanwl, cymer amser,
gad i'm llygaid arfer
â godidowgrwydd dy flagur.

fel y bydd fy ngobaith
yn dy sicrwydd di,

Cymer ofal wrth wisgo,
wrth i haul sidan y dydd
lusgo hyd dy groen.
Hud dy groen . . .

ac y caf, hyd byth,
y cyfle i gael fy ngwefreiddio
gan wynfydedd dy betalau.

Ardd, addo i mi,
y gwnei drio dy orau
i ddewis dy liwiau'n ofalus—

dy wyrdd dibrofiad,
dy felyn ifanc,
dy goch amserol,
a'th wyn ansicr—

fel y bydd fy awydd i
yn sicrwydd dy dymor,
er anffyddlondeb storm,
er annidwylledd nos.

Richard Crowe (1960)

ECSODUS

Deugain mlynedd namyn deg
Yn troi a throsi
Mewn cwpwrdd cyfyng, clyd, cyfarwydd.

Deugain mlynedd namyn deg.
A bob rhyw dipyn
Gweld nodwydd arian
Yn wincio arnaf yn chwareus drwy grac yn y drws
A chynnwrf dychryn yn fy meddiannu.

Deugain mlynedd namyn deg
Yn gwrthod gwahoddiad yr ochr draw
A glynu'n dynn yng nghotiau trwm camfforllyd
Y cwpwrdd
Nes lledu o'r crac ryw fymryn
A gadael i sleisen egwan o olau sleifio i mewn a'm herio.

Fe'm gwelais fy hun.
Syrthiais yn swp yn erbyn y drws
A thrwyddo
A glanio wrth afon.

Dwndwr byddarol yr hen afon risialaidd yn carlamu
Rhyngof i a gwlad yn llifeirio o hufen dwbl a jeli'r frenhines.

IFOR AP GLYN (1961)

Y MILENIA DYDDIOL

"Ac mae'n chwarter i naw ar y sianel siopa . . ."

(Chwartar i naw! chwartar i naw! chwartar i naw! chwartar i naw!)

Cymraeg pedair gwaith ydi'r iaith yn tŷ ni,
Cymraeg pedair gwaith ydi'r iaith yn tŷ ni,
Cymraeg pedair gwaith . . . ond dach chi'n dallt be sgin i.

Pam fod y geiria "sanna a sgidia"
yn gwneud fy mhlant i yn glustfyddar
am chwartar i naw Ddydd Llun tan Ddydd Gwenar ?

Pam fod dau fys cloc y bora
wastad yn fy ngwatwar? A minna,
nôl fy arfar, yn dôn gron o dad
yn ailadrodd fy mantra
"chwartar i naw", "chwartar i naw",
yn ceisio'n ofer codi braw
ac er mwyn be, er mwyn dyn!
er mwyn mân-ormesu fy mhlant fy hun,
a'u cyflwyno i gwys
y milenia dyddiol hollol ddi-bwys.

(Cytgan)
aiff mileniwm byth â chi allan i de
na gwisgo geraniwm yn ei esgid dde
mae o fel gêm bingo a phob un mor bybyr
yn awchu am gynnwrf yn hytrach nag ystyr,
a gwaeddwn y rhifa, am fod rhifa yn rhad,
(neu felly mae'n ddweud, ar sianel siopa ein gwlad)
's 'na'm llawer o ddyfnder, ond syth ydi'r gwys
rhwng y milenia dyddiol hollol ddi-bwys.

(ond mae'r cwestiynau'n parhau
pam addoli rhai rhifau?)

pam fod pris fel nain nainti nain
fel genod can-can ar eu coesau main
tra bod modryb decpunt namyn ceiniog
yn gwneud i ni wario mor anfoddog?

pam fod rhes o rifa naw'n rholio drosodd
yn gwneud i wledydd cyfan droi cylcho'dd?
dwi'n gwneud mileniwm bob mis yn fy nghar
heb dynnu cracar na thanio sigâr

(Cytgan)
aiff mileniwm byth â chi allan i de
na gwisgo geraniwm yn ei esgid dde
mae o fel gêm bingo a phob un mor bybyr
yn awchu am gynnwrf yn hytrach nag ystyr,
a gwaeddwn y rhifa, am fod rhifa yn rhad,
(neu felly mae'n ddweud, ar sianel siopa ein gwlad)
's 'na'm llawer o ddyfnder, ond syth ydi'r gwys
rhwng y milenia dyddiol hollol ddi-bwys.

Aled Lewis Evans (1961)

GLÖYN BYW

(Er cof annwyl am Bet, Llanbedrog)

Gorwedd dipyn bach yn y prynhawniau
oedd y cyngor clên,
yn yr ystafell wely olau
lle y dychwelai'r hen hiraeth
am gael neidio cloddiau.
Byrlymu siarad
fel Bet yn gweu stori ar y ffordd adre o'r ysgol
hyd lonydd Eifionydd,
a rhai plant yn difaru na chaent glywed
ergyd ei chwedl.

Perthnasau pell sy'n seiadu yn senedd y parlwr
awel braf yn chwerthin yn y llenni gwynion.

Hedfanodd glöyn tryloyw annisgwyl
drwy hollt rhwng yr awel a'r gyrten
ac oedodd i sawru lliw y stafell,
"Gad iddo fo hedfan".
Dawnsiodd hyd ddysg a pherlau bro,
trysorau cudd y ffordd ddiarffordd.
Bodlonodd ar naturioldeb
"Does dim isio'i hel o o'ma"
a chwerthin braf
ar bnawn anarferol ei heulwen.

Yn ddisymwth diflannodd y glöyn
drwy'r hollt ryfedd honno
rhwng amdo'r gyrten a sioncrwydd yr awel.
Hedfanodd â hyder y tu hwnt i'r llen
wedi goglais unrhyw lwch o'i adenydd.

"Dyna fo. Dim ond dod yma am rom bach.
Mae o'n rhydd rŵan."

GERWYN WILIAMS (1963)

DAMEG Y CRYS CHWYS

Yn anrheg hwyr
ar dy ben-blwydd yn dair
cest ffeirio enfys dy wardrob
am lifrai unffurfiaeth glas.

Ni'r rhieni oedd waethaf
y bore cyntaf hwnnw,
yn d'adael di a chriw'r bychain
ar fôr afreolus o ddagrau.

Ond buan y dychwelais,
'rôl cyrchu bwrdd y gegin,
gyda'r crys chwys anghofiedig
a nod dy gaethiwed
yn fathodyn ar ei frest.

Ninnau'n cymell dy unigolyddiaeth,
mawrygu dy unigrywiaeth,
tithau'n ein hateb:

"Dwishio bod fatha'r lleill!"

GRAHAME DAVIES (1964)

LANSIO LLYFR DATGANOLI

(Yng Ngwesty'r Parc, Caerdydd, 1999)

I fynd i mewn rhaid ciwio yn y stryd
yn rhes hir amyneddgar fesul pâr,
ac yn y cyntedd hefyd maen nhw'n fflyd,
yn neidr o uchelgais fyny'r stâr.

A 'nawr rhwydweithio, cyfarch, sgwrsio'n glên
a chwilio am gydnabod, ysgwyd llaw,
a'r llygaid chwim yn sganio'r dorf â gwên
am unrhyw un defnyddiol 'falle ddaw.

Ble 'roedd y rhain, prin ddeunaw mis yn ôl?
Rhyw ugain yng Nghaerdydd a ddaeth ynghyd
i herio gormes gyda'u gobaith ffôl
y gallai dyrnaid ffyddlon newid byd.

Mae'n rhyfedd faint o Gymry sy'n y wlad,
a faint o arwyr sy 'na *wedi*'r gad.

TUDUR DYLAN JONES (1965)

Y DDAWNS

I'r hen ddawns ar newydd wedd
yr awn ni yn ddi-ddiwedd,
dod yn gyfoed, yn gyfan
i'r un sgwâr o bedwar ban
â'n geiriau oll, yn griw iach,
yn fyddin i'r gyfeddach.

Awn ninnau'n ein blaenau â bloedd
i wres yn nawns yr oesoedd,
rhannu hwyl yr awen iau,
yn gnawd i'r hen ganiadau,
ac ar dân yn nisgo'r dydd
yn un galon â'n gilydd.

Trwy'r rapio byw try pob un
bryder yn hyder wedyn.
Ni yw'r dydd a'r dedwyddyd
trwy'r nodau a'r geiriau i gyd,
ac yn y sŵn, unwn ni'n
ein hadloniant eleni.

Dod i'r oed â'n hyder iau
dod i'r oed yn drawiadau
trwy ddawnsio'r nos a'r bore
a'n canu ni'n llenwi'r lle.
Ac aros trwy'r nos wnawn ni
hyd i wawr newydd dorri.

Dafydd John Pritchard (1965)

MACHLUD

Roedd yno ddau yn gwylio'r machlud:

y fo, yn simsan braidd,
yn siglo gyda'r tonnau,
a chyfogi uwch y gwymon,
ac yn igian ar yr haul mawr â'r trwyn coch
a lithrai dan y bar ym mhen draw'r byd.
A rhegi am nad oedd dim ar ôl
ond pocedi gweigion; dim byd
i'w fysedd melyn, budr gydio ynddo
i danio ei ddychymyg.

Roedd hi gryn heiffen i ffwrdd,
yn gyhoeddus, ofalus o barchus,
ei llygaid capel yn chwilio'r gorwel,
a gwrando emynau'r tonnau oddi tani
yn ei morio hi.
Ond aeth pob diwygiad yn chwilfriw ewynnog
ar helaethrwydd y traeth,
gan adael broc
sy'n gwneud dim byd
ond pydru yn ei unfan bodlon.

Aeth y ddau i'r un nos
i aros am yr un bore,
a dau gur pen.

Huw M. Edwards (1965)

CANRIF ARALL

Digwyddodd,
darfu.
Canrif arall eto
yn gelain gorn,
a'i hôl annileadwy
arnom ni.

Canrif arall
o eni,
o garu,
o gladdu,
o wefr, o wenwyn pur
rhwng brawd a brawd.

Canrif arall
o elwch, o alar,
o weiddi, o weddi,
o gael ac o golli,
o waedu plant
a mamau plant
a thadau plant
yn oer.

Ac mae'r nef yr un mor wag.

'Rym ninnau'r un mor ddoeth,
yr un mor ddwl,
â'r un genynnau
a'r un gwaed
yn dal i yrru'r cnawd.

Ac mae'r un hen obaith
gwirion, gwych,

a'n llusgodd wysg ein pennau
gyda hanner nos
o groth y filflwydd newydd,
yn ein cymell i straffaglu'n hanner dall
am olau gwell.

ROBERT LACEY (1965)

HANES IEITHEN

Merch oedd hi fel merched y byd.
Menyw 'falle fyddai'r gair cymhwysaf
– roedd ganddi feibion, pedwar ohonynt
– symbol yn sicr gan fod ei holl osgo
yn sgwrs gynnil, heb ffin, am iaith a chenedl.
Ac mi gerddai, cerddai ym mola'r goedwig,
sy'n ddigon anodd i genedl neu iaith
ond yn rhwydd iawn i fenyw.

Yn y goedwig cofiwch, symbol pellach
eithr llai amlwg. Y byd mawr cas
tu hwnt i glymau diogel breichiau teulu,
tylwyth a chymdeithas 'falle? Breichiau
sydd ond yn debyg i'r crafangau canghennog (a'r ewinedd brigog)
– sydd fel petaent yn cau amdani oddi uchod
– yn nychymyg rhai gwan neu wyrdro eu meddwl.
Erys y goedwig yn gynddelwol dywyll.

Ond yn y llewych prin mae pethau'n trigo.
Na nid gwiwerod, adar na phymtheg cant
o wahanol bryfetach – yn dadfeilio'n gyson
yng ngenau'r rhai uchod. Ym mhob un goedwig
triga anghenfil neu fwystfil rheidus
ac ar y gair daw aelodau nadreddog
i gloi am ei choesau, fel dwy sarff Gwenallt
a dringo'n llithrig ar hyd ei chorff

(er mwyn eich goglais, gynulleidfa lygadus)
nes clymu'n dwt am ei phibell wynt,
gan fygu gwich ei sgrech yn ei llwnc
– cystal â chymal iaith mewn deddfwriaeth wladol.
Ac wele ei phlant – ill tair, yn sydyn
– yn baglu drwy'r adwy (mae tair yn ddigon
ac yn llawer iawn mwy symbolaidd)
pob un i'r afael â dau dentacl.

Llysnafeddog fu hi am sbel, wrth i
sawl hylif corfforol ddwyno'r ddaear
yna ffodd yr wythgoes â chri dorcalonnus
fel grym trefedigaethol amddifad.
Adroddodd un tyst yn ddiweddarach
mai'r hyn a welodd, ar wib, o'i guddfan, oedd
dwy goes – fu gynt yn siapus – yn ei baglu hi
o dan ryw gawdel prosthetig, *latex*.

Trodd yr hyna' at . . . ei thad erbyn hyn
ond crafai hwnnw ei wddwg yn rhacs,
i gael tynnu'r rhwymyn seicolegol
ac er ymdrechu, arwr oedd hi
ac nid seicdreiddydd. Trodd yntau'n gas,
a'i rhegu'n dwll, mewn llais gwichlyd, dwl,
gan droi'r oriau yn y llwyn gyda Morfudd,
yn 'gwneud pethe mochaidd â chala donc'.

Gwthiodd ei chwiorydd hi o'r ffordd
a'i chau mas. Aeth hithau i Amsterdam
a byw nes cyrraedd ei deunaw a phedwar ugain,
pan gwympodd ceseiren anferth ei maint,
glep ar ei phen, wrth iddi adael clwb nos,
tua phedwar neu bump o'r gloch y bore.
Diolch byth bod cymydog da wrth law
i godi'r sbliff oedd yn dal ynghynn, o'i bysedd.

MENNA BAINES (1965)

MEDDYLIAU MAWR

(Bangor, oriau mân Dydd Calan, 2000)

Bu bron iddo fynd ar fy nhraws,
y dyn â'r cyrn carw plastig ar ei ben.
Igam-ogamai'n drwm ar hyd y ffordd,
ei garnau'n llusgo ar y tarmac,
a phan ddymunais iddo flwyddyn newydd dda,
daeth y cyfarchiad yn ôl
rhwng ei dorri gwynt a'i igian
yn Saesneg gyddfol Bangor.
Na, nid Carw Rhedynfre oedd hwn.

Ac mae'n sicr na welodd o mo'r sgwarnog
a welais i wedyn, gerllaw, un go iawn,
ond ei bod, ysywaeth, yn gelain,
wedi cwrdd â'i diwedd
'yn frawychus o sydyn'
prin lathen o ochr y briffordd brysur.
Ei byd wedi diffodd
a hithau ar lamu
i ganrif arall, mileniwm arall.
Gwnes arwydd y groes a bwrw ymlaen.

Wedi'r ddau ymyriad yna,
yn y tawelwch, wrth gerdded,
a'r tân gwyllt yn dal yn gawodydd gloyw
dros y Fenai, dros Fôn,
disgwyliais innau am y meddyliau mawr llachar
a weddai i'r awr hanesyddol hon.
Ond yn ofer.
Awr gyntaf 2000,
ac ni allwn feddwl am ddim
ond siampên fflat
a rocedi'n llwch,
a Charw Bangor yn deffro yn y bore

yn dal yn gorniog
ond â thwll yn ei go',
a'r sgwarnog fach ddewr,
â thwll yn ei chanol,
na fyddai'n deffro o gwbl.

CERI WYN JONES (1967)

PARTI NOS CALAN 2000 YN Y CLWB RYGBI

Mae'r holl blaned flinedig
heno i'w gweld mewn un gig,
drwy'r mwg yn troelli'i dramâu
direswm fel drwy'r oesau.
A'r bownser ar ei bensiwn
wrth y drws, Ianws yw hwn:
gŵr cul yr agor a'r cau,
â'i ddirnad yn ei ddyrnau.

Fan pella'r bar mae cri byw
"Oi! Leave it!" "No!" "I'll 'ave you!":
tri'n rhygnu nes troi'n rwgnach,
iaith tei-bo'n troi'n iaith tŷ bach.
Tri'n dadlau. Dau'n codi dwrn,
dyrnau seidir-nos-Sadwrn;
dyrnau a chariad arnynt
drosti hi yn ffustio'u hynt.

Ym mhair y ddawns y mae'r ddau
yn crasu at eu crysau,
yn feddw ddigyfaddawd,
yn bâr gwyllt o boer a gwawd.
Yna daw â'u breichiau dur
fyddin o dangnefeddwyr:
hwythau â'u "It's not worth it!"
feddw gaib â'u "Leave the git!"

Rhed dagrau cusanau sur
gyda'r gwaed ar y gwydyr:
dafnau hallt a fynn hollti
yn deilchion ei noson hi.
Yn nifa'r hwyr, mae'i ffrog frau'n
sidanwisg o gwestiynau
a fynn aros gan losgi
holl goed tân ei llygaid hi.

Mae tân y gusan a'r gad
ar ruddiau ein gwareiddiad:
dagrau'n cyn-deidiau ydynt
a rhegfeydd yr ogof ŷnt.
Am iddo weld, gweld drwy'r gwaith,
ryfeloedd caru filwaith,
mae'r hen, hen fownser heno'n
gwneud dim, ond cael mwgyn 'to.

SIÂN WYN JONES (1967)

TWRW PESDA

Mae 'na dwrw yn 'y mhen
a thwrw ger y *Spar*,
chwain yn cosi bol y byd
mewn cymuned glòs, glyd.
Cythral o nos Wenar ddiflas
heb bres, heb fodan, heb gar.
Chdi a dy fêts, yr un hen gŵyn:
Hi! Sharon! Ya pregnant yet?
Hen dwrw gwag ymffrostgar rhyw;
tin yn crafu'r wal,
cala'n codi'r ysbryd
tu hwnt i ffycin byw.

Mae 'na dwrw yng Nghaerdydd
a phenrhyddid newydd chwil.
Hey, how does it make ya feel?
Heb ofyn i Tony am snog
yn y bogs cyn cymryd swig
o gwrw i greu twrw
yn y Gymru newydd: *The Live Gig*.

Be uffar ydi o?
Nid crac y gang,
na choelcerth rhyw fand,
na chrio cath liw nos,
na rhegfeydd meddwol tad,
na'r diwn gron am iaith a brad,
ond . . .

Lli'r hynafol Ogwen
yn llusgo'i chorff tua'r lan,
a milglychau ei chylchdaith
dros gerrig a chen
yw'r hen hen dwrw yn 'y mhen.

NICI BEECH (1969)

DAL BREUDDWYD YN Y BORE

Nid af o wres y *duvet*
I benyd y byd. I be?
Mor llwm yw'r dydd a mor llwyd;
Ni roddaf i fy mreuddwyd
Unrhyw siawns iddi ddawnsio
I ffwrdd, ond mae hi ar ffo
Eisoes; clywaf hi'n sisial
Yn y dŵr; ceisiaf ei dal
Yn fy mhen cyn i lenni'r
Dydd fynd â dy wyneb di.

Mari George (1973)

DISGWYL
(Kosovo 1999)

Daw ei hwyneb coll i'n sgrins
yn aeaf o dlawd,
â'r rhyfel yn ei llygaid.

O'i blaen mae mis Mai'n ei phoenydio
fel oen nad yw byth yn blino,
neu gŵyn y gwenyn
aflonyddwch gloÿnnod,
a chri adar
uwch y coed.
Yn llanast ei gwastraff y mae hi
yn chwilio olion traed ei theulu
a'i holl fyd dan ei hewinedd.

Disgwyl gweld, clywed . . .

Mae'n addo,
addo na wnaiff fyth faddau hyn.
Bydd y rhyfel yn ei llygaid
am byth.

Dim ond ymbil wna nawr
am Fehefin nad yw'n brifo.

TUDUR HALLAM (1975)

31/11/99 23:59

Dim ond cloc yn tic-tocian:
symudiad ei guriad gwan
sy'n taro â sŵn taran.

Dim ond cloc, a'r sioc a'r siom
yn canu'r un glec ynom:
y bys, bob eiliad, fel bom.

Sŵn cloc, sŵn clir,
ciaidd, cywir,
ac yma, mewn ward gardiac,
a'i holl oes mewn gwifrau llac,
un tad – tebycach i'n taid:
hen groen mewn gwewyr enaid.

Un cloc, un claf,
un awr araf,
a'r henwr hwn, ar wahân,
yn 'gwely ar nos Galan:
ei galon ynddo'n gwlwm
yn lladd ar ein hysbryd llwm.

Yn lle heno'r llawenydd, yn lle'r floedd,
yn lle'r flwyddyn newydd,
yn dawel a diawydd,
nid oes na dathlu'r un dydd,
na mileniwm eleni.

Y mae'r nos yn nos i ni:
ni sy'n meddwi-gweddïo, yn diolch
na fu'r diwedd eto,
a'n bod, beth bynnag y bo,
yn deulu sy'n dal dwylo.

Roedd ei wedd am un ar ddeg
yn addo gwên am ddeuddeg:
ond beth os bydd y . . .
ninnau'n dal yn ein dwylo
a'n holl fraw yn ei law o:
ond beth os . . .
galw 'Dad', nes gweld ei wedd
yn galon o ymgeledd.

Yntau a'i galon wantan:
. . .
yn ei chur fe glywn ei chân,
tra bo'r cloc yn tic ——————

LISA TIPLADY (1975)

1/1/00

Neithiwr, gwelais y sêr
er holl ymdrechion dyn
i gynnau'r düwch
â'i sioe o dân
a'i siampên drud

ac roedd addo'r ddaear
mor hawdd ar y pryd:

dim 'smygu, byw'n heini,
cofio teulu, caru Cymru,

yna chwydu.

Yn y bore, darllenais y sêr
a'u haddewid i'm llwybyr
yn broffwydoliaeth bapur,

a chan addo'u defnyddio flwyddyn nesaf eto
golchais neithiwr o'r gwydrau main

union 'run fath â phob tro o'r blaen.

Fflur Dafydd (1978)

TRI CHYFNOD: CEI NEWYDD

Calan 2000

Mae'r nos yn dylyfu Dwy Fil, a'r bae
yn gysglyd yn y gwyll. Ymhell o floedd y dorf
mae ymchwydd distaw'r môr
yn seinio'n uwch nag unrhyw gloch.

Yma, nid oes dim yn dynodi'r awr:
dim ond olion anwel amser
sy'n troi ymaith gyda'r trai.

Tŷ ar y Cei, 1985

Talp o hufen iâ a thaclau
oedd y tŷ ar y cei, yn brolio'n binc
uwchben y bae. Fe'i gwelwn o bell,
ac adeiladem gychod aur o dywod poeth
a'u hwylio'n eu hunfan
a'n bryd ar gyrraedd adre.

Ond dymchwel wnaeth ein cychod bob tro,
a'r tŷ'n toddi'n y gwres.
Ar ddiwedd haf fe ddeuai rhywun i'w gymryd yn ôl
gan droi ein hafan ni
yn ddiwrnod hafal i ryw deulu.

Gweini, 1998

Mae bysedd seimllyd yr haf yn drwch
dros Gei Newydd, a'i chalon yn glwyfau'n y môr.
Y dydd sydd iddi'n ddieithryn, a'i ddwylo'n dynn
yn ei chudynnau aur.

– Say something in Welsh, go on.
– I'm not a freak show.

A gresyn na fyddwn yn fwystfil dau ben
yn eu herlid â'm hanadl poeth. Cawn wasgu tafod
yn ddim rhwng dau fyd, a phob carafán
yn gelain dan fy nghamau. Clywed fy llais

yn llethu'r lleferydd, a'r dorf mewn gwasgar gwyllt
wrth fy nhraed. Yna, tanio'r tawelwch
a chlywn sibrwd y môr yn ddof ar fy nghlyw.
Y nos rydd yn anadlu.

Ond nid wyf yn fwy na gwrthrych sy'n gaeth
i'w gorchmynion, yn dilyn pob dymuniad fel defod.
Thank you – Diolch, a'r llygaid gwag yn glynu arnaf,
pob gwefus yn glafoerio o hufen a hyfdra.

Ond mae'r pupur a'r halen yn siarad Cymraeg.
Pan fo'r drysau'n dylyfu gên, a *CLOSED* yn gorffwys
ar y gwydr, caf sgwrs â hwy,
am sut deimlad ydi cael eich trafod
gan ddieithriaid; eu gafael di-deimlad
fel gelod am eich cnawd.

Ac rydym yn gytûn, nad oes dim yn waeth
na'r dorf aflonydd hon,
sy'n syllu'n dryloyw ar y môr, gan ollwng
un rhwyd sy'n dymuno dal pob dim
ond pysgod.

Calan 2000

Mae'r traeth yn troi ar ei echel unig, di-dor, di-newid.
Chwiliaf eto am yr arwyddion, am synau newydd
yn gaeth yn y gwynt, neu anterth un don i ddiweddu'r byd,
ond ni ddaw dim. Does yma ond hen lun
yn wystl rhwng bysedd amser.

Ond gwn, rywle yn y dyfnder cyfrin
mae ’na rywbeth yn curo o hyd,

– eiliadau newydd
yn dyrnu yn y don.

MARI STEVENS (1978)

CUL CYMRU

('Ydyn nhw'n siarad Cymraeg yn Abertawe?')

Oddi yno rwyt ti'n gwylio
dinas dlawd yn ymbincio –
yn gwasgu
haen o goncrit yn golur ar groen
a thaenu ei
minlliw'n llwyd
ar wefus lom.

Mae hi'n
crogi cadwyni'r
McDonalds a'r *Marks and Spencers*
yn fwclis o foderniaeth
am ei gwddf,
ac yn chwalu
sawrau estron
y *takeaways* budron
ar ei bron.

Hon,
yn pwffian yn gomon
ar fwg ei thraffig,
yw hwren dy hen ffordd o fyw.
Hon,
yn rheg o neonau,
a'i chlybiau'n chwd
o giwiau
yw gwter dy Gymru
lle heno
fe dybi
ei bod hi'n *KO* arni hi.

Ac yn
hwyrnos dy ragfarnau
ti'n sy'n datgan diwedd
i'w diwrnodau,
a chefnu arni,
heb droi i sylwi
nad yw'r ddinas yma
fyth yn cysgu;
gan fod yma,
ym mherfedd pob nos,
fetropolis o liwiau
yn y gwythiennau llwyd.

Hi sy'n meddwi
ar ddwyieithrwydd
ac ecstasi dinesig
sy'n pwmpio bît newydd
i'w Chalon Lân.

A Hon felly,
fe weli,
yw gobaith dy Gymru,
gan mai Hon sy'n effro i deimlo'r
wawr yn torri
dros ddau fyd
yn cofleidio'n hir
yn y bore bach.

Mynegai i Enwau'r Beirdd